ПАВЕЛ САНАЕВ

ПОХОРОНИТЕ МЕНЯ ЗА ПЛИНТУСОМ

повесть

АСТ
МОСКВА

УДК 821.161.1-31
ББК 84 (2Рос=Рус)6-44
   С18

Оформление обложки:
дизайн-студия «Дикобраз» (Обл.),
дизайн-студия «Графит» (Переплет)

Санаев, Павел

С18   Похороните меня за плинтусом : повесть / Павел Санаев. — Москва: АСТ, 2014. — 285, [3] с.

ISBN 978-5-17-064323-3 (Обл.)

ISBN 978-5-17-064322-6 (Переплет)

Книга, номинированная на Букеровскую премию, буквально взорвала отечественный книжный рынок и обрела не просто культовый, но — легендарный статус!

Повесть, в которой тема взросления будто переворачивается с ног на голову и обретает черты сюрреалистического юмора!

Книга, в которой гомерически смешно и изощренно зло пародируется сама идея счастливого детства.

Чуткий и умный Санаев все правильно понял. Оттого ценность его повести возрастает, и ей гарантировано место в истории русской литературы.

УДК 821.161.1-31
ББК 84 (2Рос=Рус)6-44

Посвящается Ролану Быкову

Меня зовут Савельев Саша. Я учусь во втором классе и живу у бабушки с дедушкой. Мама променяла меня на карлика-кровопийцу и повесила на бабушкину шею тяжкой крестягой. Так я с четырех лет и вишу.

Свою повесть я решил начать с рассказа о купании, и не сомневайтесь, что рассказ этот будет интересным. Купание у бабушки было значительной процедурой, и вы в этом сейчас убедитесь.

КУПАНИЕ

Начиналось все довольно мирно. Ванна, журча, наполнялась водой, в которой плавал пластиковый термометр. Все время купания его красный столбик должен был показывать 37,5. Почему так, не знаю точно. Слышал, что при такой температуре лучше всего размножается одна тропическая водоросль, но на водоросль я был похож мало, а размножаться не собирался. В ванную ставились рефлектор, который дедушка должен был выносить по хлопку бабушки, и два стула, которые накрывались полотенцами. Один предназначался бабушке, другой... не будем забегать вперед.

Итак, ванна наполняется, я предчувствую «веселую» процедуру.

— Саша, в ванную! — зовет бабушка.

— Иду! — бодро кричу я, снимая на ходу рейтузы из стопроцентной шерсти, но путаюсь в них и падаю.

— Что, ноги не держат?!

Я пытаюсь встать, но рейтузы цепляются за что-то, и я падаю вновь.

— Будешь надо мной издеваться, проклятая сволочь?!

— Я не издеваюсь!

— Твоя мать мне когда-то сказала: «Я на нем отыграюсь». Так знай, я вас всех имела в виду, я сама отыграюсь на вас всех. Понял?!

Я смутно понимал, что значит «отыграюсь», и почему-то решил, что бабушка утопит меня в ванне. С этой мыслью я побежал к дедушке. Услышав мое предположение, дедушка засмеялся, но я все-таки попросил его быть настороже. Сделав это, я успокоился и пошел в ванную, будучи уверенным, что если бабушка станет меня топить, то ворвется дедушка с топориком для мяса, я почему-то решил, что ворвется он именно с этим топориком, и бабушкой займется. Потом он позвонит маме, она придет и на ней отыграется. Пока в моей голове бродили такие мысли, бабушка давала дедушке последние указания насчет рефлектора. Его надо было выносить точно по хлопку.

Последние приготовления закончены, дедушка проинструктирован, я лежу в воде, температура которой 37,5, а бабушка сидит рядом и мылит мочалку. Хлопья пены летают вокруг и исчезают в густом паре. В ванной жарко.

— Ну, давай шею.

Я вздрогнул — если будет душить, дедушка, пожалуй, не услышит. Но нет, просто моет...

Вам, наверное, покажется странным, почему я не мылся сам. Дело в том, что такая сволочь, как я, ничего самостоятельно делать не может. Мать эту сволочь бросила, а сволочь постоянно гниет, и купание может обострить все ее сволочные болезни. Так объясняла бабушка, намыливая мочалкой мою поднятую из воды ногу.

— А почему вода такая горячая?

— На градус выше тела, чтобы не остывать.

— Я думал, водоросль.

— Конечно, водоросль! Тощий, зеленый... Не нога, а плетка. Спрячь под воду, пока не остыла. Другую давай... Руки теперь. Выше подними, отсохли, что ли? Встань, пипку вымою.

— Осторожно!

— Не бойся, все равно не понадобится. Развернись, спину потру.

Я развернулся и уткнулся лбом в кафель.

— Не прислоняйся лбом! Камень холодный, гайморит обострится.

— Жарко очень.

— Так надо.

— Почему никому так не надо, а мне надо? — Этот вопрос я задавал бабушке часто.

— Так никто же не гниет так, как ты. Ты же смердишь уже. Чувствуешь?

Я не чувствовал.

Но вот я чистый, надо вылезать. Облегченно вздохнув, я понимаю, что сегодня бабушка меня не утопит, и выбираюсь из ванны. Теперь вы узнаете, для чего нужен был второй стул, — на него вставал я. Стоять на полу было нельзя, потому что холодный сквозняк дул из-под двери, коварно обходя уложенный на его пути валик из старого одеяла, и мог остудить мои ноги. Балансируя, я старался не упасть, а бабушка меня вытирала. Сначала голову. Ее она тут же завязывала полотенцем, чтобы не остыли мокрые волосы. Потом она вытирала все остальное, и я одевался.

Надевая колготки — синие, шерстяные, которые дорого стоят и нигде не достать, — я почувствовал запах гари. Одна колготина доходила лишь до щиколотки. Самая ценная ее часть, та, которая образует носок, увы, догорала на рефлекторе.

— Вонючая, смердячая сволочь! (Мне показалось, что зубы у бабушки лязгнули.) Твоя мать тебе ничего не покупает! Я таскаю все на больных ногах! Надевай, замотаю полотенцем ногу!

Надев колготки до конца, я поднял ногу, пальцы которой торчали из сгоревшей колготины, и вручил ее бабушке. Бабушка принялась накручивать на нее вафельное полотенце наподобие портянки, а я от нечего делать стал изучать себя в зеркале. В ванной было так жарко, что я сделался красным, как индеец. Сходство дополняли полотенце на голове и пена на носу. Засмотревшись на индейца, я забыл, что мы с бабушкой выполняем на шатком стуле почти цирковой номер, потерял равновесие и полетел в ванну.

— Сво-о-оло-очь!!!

Пш-шш!! Бах!!

Тем временем дедушка смотрел футбол. Чу! Его тугое ухо уловило со стороны ванной странный звук.

— Рефлектор надо выносить! — решил он и побежал.

Бежал он быстро и впопыхах схватил рефлектор за горячее место. Пришлось отпустить. Рефлектор описал дугу и упал бабушке на колени. Подумав, что, услышав всплеск, дедушка бросился меня спасать и неудачно отыгрался на бабушке, я хотел было все объяснить, но в ванной уже бушевала стихия.

— Гицель* проклятый, татарин ненавистный! — кричала бабушка, воинственно потрясая рефлектором и хлопая ладонью другой руки по дымящейся юбке. — Будь ты проклят не-

---

* Я очень любил это слово, но долго не знал, что оно означает. Потом бабушка объяснила, что гицелями называли на Украине собачников, которые длинными крючьями отлавливали на улицах бродячих собак.

бом, Богом, землей, птицами, рыбами, людьми, морями, воздухом! — Это было любимое бабушкино проклятие. — Чтоб на твою голову одни несчастья сыпались! Чтоб ты, кроме возмездия, ничего не видел!

Далее комбинация из нескольких слов, в значении которых я разобрался, когда познакомился с пятиклассником Димой Чугуновым.

— Вылезай, сволочь!

Снова комбинация — это уже в мой адрес.

— Будь ты проклят...

Любимое проклятие.

— Чтоб ты жизнь свою в тюрьме кончил...

Комбинация.

— Чтоб ты заживо в больнице сгнил! Чтоб у тебя отсохли: печень, почки, мозг, сердце! Чтоб тебя сожрал стафилококк золотистый!

Комбинация.

— Раздевайся, буду вытирать заново!!!

Неслыханная комбинация!

И снова,

и снова,

и снова...

УТРО

— А все равно красная ягода лучше черной! — раздался истошный крик, и я проснулся.
Крик был так ужасен, что я подскочил на
кровати и долго озирался в страхе по сторонам, пытаясь понять его происхождение, пока не догадался, что кричал я сам во сне. Поняв это, я успокоился, оделся и вышел из
спальни.
— Чего так рано встал? — удивилась бабушка, стоявшая в дверях кухни с фарфоровым
чайником в руках.
— Проснулся.
— Чтоб ты больше никогда уже не проснулся! — Бабушка была явно не в духе. — Мой
руки, садись жрать.
Я хорошо вымыл руки, дважды намылив их,
и стал вытираться махровым полотенцем с зай-
чиками. В ванную заглянула бабушка.
— Мой руки снова! Этим полотенцем выти-
рался вчера этот вонючий старик, а у него грибок на ноге!

Я перемыл руки и окончательно убедился, что бабушка сегодня не в духе. Причиной тому был «вонючий старик», что в переводе с бабушкиного языка обозначало моего дедушку. Дедушка сидел в кухне на табуретке и сосредоточенно ковырял вилкой винегрет из рыночных овощей. Прогневил он бабушку тем, что нашел фарфоровый чайник. Две недели назад бабушка заварила в этом чайнике травяной сбор на основе мать-и-мачехи, поставила его на видное место и по сей день не могла найти — в кухне было такое количество банок, баночек, коробочек и пакетов, что любое видное место пропадало с глаз, стоило отнять руку от поставленного на него предмета. Нашелся чайник на холодильнике в окружении трех пачек чая, банки с гречневой крупой, двух кульков чернослива и сломанного тульского будильника, над звонком которого навсегда замерли медведи-кузнецы с обломанными молотками. Бабушка подняла крышку, нашла в чайнике вместо целебного отвара заплесневелую массу и стала кричать, что в такую же массу дедушка превратил ее некогда блестящий мозг.

— Отличницей была, острословкой, заводилой в любой компании, — сетовала бабушка, вычищая из чайника плесень, — парни обожали. «Где Нинка? Нинка будет?» Во все походы брали, на все слеты... Встретила тугодума — за что, Господи? Превратилась в идиотку.

Я нетерпеливо спросил, когда же бабушка даст мне завтракать, и горько пожалел об этом.

— Вонючая, смердячая, проклятущая, ненавистная сволочь! — заорала бабушка. — Будешь жрать, когда дадут! Холуев нет!

Я вжался в табурет и посмотрел на дедушку — он выронил вилку и поперхнулся винегретом.

— Старцам лакей отказан, — добавила бабушка и вдруг выронила чайник.

От чайника медленно отвалилась ручка. Он тихо и жалобно звякнул, словно прощаясь с жизнью, и распался на несколько частей. Красная крышечка, как будто угадывая, что сейчас произойдет, предусмотрительно укатилась под холодильник и, вероятно удобно там устроившись, удовлетворенно дзинькнула. Я позавидовал крышке, назвав ее про себя пронырой, и со страхом поднял глаза на бабушку... Она плакала.

Не глядя на осколки, бабушка тихо вышла из кухни и легла на кровать. Дедушка пошел ее утешать, я не без опасений последовал его примеру.

— Нин, ты чего? — ласковым голосом спросил дедушка.

— Правда, баба, что, у тебя чайников мало? Мы тебе новый купим, еще лучше, — успокаивал бабушку я.

— Оставьте меня. Дайте мне умереть спокойно.

— Нина, ну что ты вообще! — сказал дедушка и помянул бабушкину мать. — Из-за чайника... Разве можно так?

— Оставь меня, Сенечка... Оставь, я же тебя не трогаю... У меня жизнь разбита, при чем тут чайник... Иди. Возьми сегодняшнюю газетку. Саша, пойди положи себе кашки... Ну ничего! — Бабушкин голос начал вдруг набирать силу.

— Ничего! — Тут он совсем окреп, и я попятился.

— Вас судьба разобьет так же, как и этот чайник. Вы еще поплачете!

Я пролепетал, что не мы с дедушкой разбили чайник, и оглянулся в поисках поддержки. Но дедушка вовремя смылся за газеткой.

— Молчать! — взревела бабушка. — Вы загадили мой мозг, больной мозг, несчастный мозг! Я из-за вас ничего не помню, ничего не могу найти, у меня все валится из рук! Нельзя гадить человеку в мозг день и ночь!

Прокричав такие слова, бабушка встала с кровати и двинулась на кухню. Я не рискнул идти за ней и хотел остаться в комнате, но властный окрик и обещание сделать из меня двоих, если я сейчас же не подойду, заставили меня повиноваться. По дороге на кухню я размышлял, что было бы неплохо, если бы из меня сделали двоих.

Один из меня мог бы тогда отдыхать от бабушки, а потом они бы с тем, другим, менялись. Но к сожалению, невозможное невыполнимо, и из несбыточных грез я снова перенесся в реальность.

Когда я вернулся к месту трагической гибели чайника, бабушка уже собрала в совок осколки и высыпала их в мусоропровод. Потом она вымыла руки и стала натирать в тарелку рыночные яблоки, которые я должен был есть по утрам. Тут только вернулся дедушка с газеткой. Я посмотрел на него как на дезертира.

Бабушка лихо натирала яблоки, щеки ее зарумянились, как на катке, дедушка посмотрел на нее и залюбовался.

— Видишь, как бабка-то старается. Не для кого-нибудь, для тебя, дурака, — сказал он и снова залюбовался бабушкой.

— Ну чего уставился? — смутилась бабушка, точно гимназистка на первом свидании.

— Так, ничего... — вздохнул дедушка и перевел взгляд на заляпанное окно, по которому в поисках съестного елозила большая муха.

— На. — Бабушка поставила передо мной тарелку тертых яблок. Они выглядели аппетитной светло-зеленой кашицей, когда выходили из-под терки, но тут же коричневели и становились довольно неприглядными.

— Зачем мне каждый день есть эти яблоки? — спросил я.

Дедушка оторвал взгляд от мухи и ответил:

— Как же, дурачок, это нужно. Шлаки вымывает.

— Какие шлаки? — не понял я.

— Разные. Ты спасибо должен говорить, что тебе это дают.

— А зачем натирать?

— Так ты же не жуешь ни черта! — воскликнула бабушка. — Заглатываешь кусками такими, что ничего не усваивается! Ах, Сенечка, о чем ты говоришь, это же такое неблагодарное дерьмо! Сколько сил уходит, и хоть бы не издевался так... Ой, прибей эту муху, она мне на нервы действует!

Дедушка свернул в трубку принесенную газету и точно шлепнул муху. Та упала на подоконник и подняла лапку кверху в назидание, что так случится со всяким, кто будет действовать на нервы бабушке.

— Эх, Нина, а «Спартак»-то вчера проиграл, — сказал вдруг дедушка, глядя в газету, которой только что прибил муху.

— А мне чихать и на твой «Спартак», и на то, что он проиграл! Хоть бы они все сдохли и ты вместе с ними.

Бабушкин взгляд упал на пол, где остались фарфоровые крошки от разбитого чайника, и настроение ее снова ухудшилось.

— Жрите!

Она поставила на стол гречневую кашу и котлеты паровые на сушках. Паровые, потому что жареное — это яд и есть его могут только коблы, которых не расшибешь об дорогу, а на сушках, потому что в хлебе дрожжи и они вызывают в организме брожение.

Дедушка уткнулся в свою тарелку, бормоча что-то про «Спартак», а я с тоской посмотрел на наскучившие мне котлеты и на зеленый панзинорм, который я должен был принимать по утрам.

— Панзинорм выпил?

Панзинорм мне порядком надоел, и со словами «да, выпил» я попытался затолкнуть его под стоявший на столе кулек с мукой, не заметив, что бабушка у меня за спиной.

— Сво-олочь... Старик больной ездит достает, чтобы ты тянул как-то, а ты переводишь! Хоть бы уважение имел! Разве порядочные люди делают так? Тебе что, не жалко больного старика?

«Больной старик» глубокомысленно сказал:

— Да, — и снова углубился в свою котлету.

— А ты дакай, дакай! Одну сволочь вырастили, теперь другую тянем на горбу. — Под первой сволочью бабушка подразумевала мою маму. — Ты всю жизнь только дакал и уходил таскаться. Сенечка, давай то сделаем, давай это. «Да... Потом...» Потом — на все просьбы одно слово!

Глядя в тарелку, дедушка сосредоточенно жевал котлету.

— Ничего... Горький, говорил, удар судьбы приходит нежданно. Будет тебе расплата. Предательство безнаказанно не проходит! Самый тяжкий грех — предательство... Капусту принеси мне сегодня, я щи сварю. В «Дары природы» иди, в «Комсомольце» не покупай. Там капуста свиней кормить, а мне ребенку щи варить, не только тебе, борову. Принесешь?

— Да.

— Знаю я твое «да»...

Я доел кашу, сказал бабушке спасибо и вышел из-за стола.

— Хоть бы спасибо сказал! — послышалось вслед.

Прежде чем начать следующий рассказ, мне хотелось бы сделать некоторые пояснения. Уверен, найдутся люди, которые скажут: «Не может бабушка так кричать и ругаться! Такого не бывает! Может быть, она и ругалась, но не так сильно и часто!» Поверьте, даже если это выглядит неправдоподобно, бабушка ругалась именно так, как я написал. Пусть ее ругательства покажутся чрезмерными, пусть лишними, но я слышал их такими, слышал каждый день и почти каждый час. В повести я мог бы, конечно, вдвое сократить их, но сам не узнал бы тогда на страницах свою жизнь, как не узнал бы житель пустыни привычные взгляду барханы, исчезни вдруг из них половина песка. Я и так убираю из бабушкиных выражений все, что не принято печатать. Мама моего приятеля запретила нам общаться, когда я сказал, как назвала меня бабушка за пролитый на стол пакет кефира, а пятиклассник Дима Чугунов долго объяснял мне, почему бабушкины комбинации нельзя говорить при взрослых. Диму я, кстати, научил многим бабушкиным выражениям, и больше всего нравилось ему короткое «тыц-пиздыц», употреблявшееся как ответ на любую просьбу, в которой следовало отказать. Надеюсь, теперь вы верите, что в бабушкиной речи я ничего не преувеличил, и понимаете, что количество ругательств не связано с отсутствием у меня чувства меры, а вызвано желанием как можно точнее показать свою жизнь. Если так, следующий рассказ называется...

ЦЕМЕНТ

Рядом с нашим домом была огромная стройка Автодорожного института — МАДИ, — и мы с приятелем очень любили туда ходить. Он ходил туда «лазат», так специфически выговаривал он это слово, а я искал там разные детали, из которых можно было бы что-нибудь изобрести. «Лазали» мы туда часто. Вечером в МАДИ никого не было, и мы могли делать там все что захочется. В МАДИ было множество интересных вещей, и все они принадлежали нам. В МАДИ меня не могла найти бабушка, и, наверное, поэтому она запрещала мне туда ходить. Но как не ходить туда, где можно делать все что захочется и где тебя не могут найти?

В МАДИ я мог бы чувствовать себя совершенно свободно, если бы не одно обстоятельство. Шесть раз в день я должен был принимать гомеопатию, и когда я гулял на улице, бабушка выносила мне ее в коробочке. Если при этом кто-то угощал меня конфетой, бабушка брала ее и, отправляя себе в карман, со вздохом говорила:

— Ему нельзя, у него, эх, другие конфеты. — И всыпа́ла мне в рот порцию гомеопатических шариков.

Как-то, решив всыпать мне в очередной раз кониум, в шутку прозванный нами «лошадиумом», бабушка вышла во двор и не увидела меня.

— Саша! — крикнула она. — Саша!!

Ни звука в ответ.

— Саша!!! — заорала она и двинулась в обход дома, надеясь меня найти.

Найти меня было невозможно. Я был с приятелем в МАДИ и, сидя на крыше одного из трехэтажных корпусов, размышлял, куда приспособить найденный на чердаке коленчатый вал. Услышав зов бабушки с гомеопатией, я страшно перепугался и в ужасе заметался по крыше, не зная, куда деваться. Не выпить гомеопатию было все равно что самовольно отлучиться с поста. Мой страх передался приятелю. Он съежился и, с опаской глядя вниз, прошептал:

— А она сюда не влезет?

Со страху я принял его слова всерьез и решил, что пока бабушка действительно не влезла к нам, надо скорее бежать ей навстречу. Мой путь-полет во двор занял минут пять. Все это время бабушка ходила вокруг дома, держа на вытянутой руке коробочку с гомеопатией, и кричала:

— Где ты, скотина?

Будь она в деревне, очевидцы могли бы подумать, что у нее убежала коза, но в городе...

Наконец я влетел во двор. Бабушки нигде не было видно, но по отдаленным крикам я догадался, что она с другой стороны дома. Запыхавшийся приятель подбежал ко мне и, еле переводя дух, спросил:

— А лазат еще пойдем?

Я сплюнул и, как человек, знающий, что происходит и чем такие вещи кончаются, веско сказал:

— Отлазились.

— Отлазались... — как бы вдумываясь в смысл этого страшного слова, тихо повторил приятель.

И тут из-за угла вышла бабушка.

— Где ты шлялся? Иди сюда. Пей гомеопатию.

Приятель тут же испарился. Бабушка подошла ко мне... А я потный!

Потеть мне не разрешалось. Это было еще более тяжким преступлением, чем опоздать на прием гомеопатии! Бабушка объясняла, что, потея, человек остывает, теряет сопротивляемость организма, а стафилококк, почуяв это, размножается и вызывает гайморит. Я помнил, что сгнить от гайморита не успею, потому что, если буду потный, бабушка убьет меня раньше, чем проснется стафилококк. Но как я ни сдерживался, на бегу все равно вспотел, и спасти меня теперь ничто не могло.

— Пошли домой, — сказала бабушка, когда я выпил гомеопатию.

В лифте она посмотрела на меня внимательно, изменилась в лице и сняла с моей головы красную шапочку. Волосы были мокрыми. Она опустила руку мне за шиворот и поняла, что я потный.

— Вспотел... Матерь божья, заступница, вспотел, сволочь! Господи, спаси, сохрани! Ну сейчас я тебе, тварь, сделаю козью морду!

Мы вошли в квартиру.

— Снимай все, ну скорей. Рубаху снимай. Весь потный, сволочь, весь...

— О-ой! — протянула она, беря рубашку. — Вся мокрая! Вся насквозь! Завернись в одеяло, сейчас разотру. Где ты был? Отвечай!

— Мы с Борей в МАДИ ходили, — пролепетал я.

— В МАДИ! Ах ты мразь! Я тебе сколько говорила, чтоб ноги твоей там не было?! Этого Борьку об дорогу не расшибешь, он пусть хоть селится там, а ты, тварь гнилая, ты что там делал? Опять гайки подбирал? Чтоб тебе все эти гайки в зад напихали. Ну ничего...

«Ну ничего», как всегда, не предвещало ничего хорошего.

— Слушай меня внимательно. Если ты еще раз пойдешь в МАДИ, я пошлю туда дедушку, а он уважаемый человек, твой дедушка. Он пойдет, даст сторожу десять рублей и скажет: «Увидите здесь мальчика, высохшего такого, в красной шапочке и в сером пальто... убейте его. Вырвите ему руки, ноги, а в зад напихайте гаек». Твоего дедушку уважают, и сторож сделает это. Сделает, понятно?!

Я все понял.

На следующий день, отправляя меня гулять, бабушка приколола английскими булавками к изнанке моей рубашки два носовых платка. Один на грудь, другой на спину.

— Если вспотеешь опять, рубашка сухая останется, а платки я раз — и выну, — объяснила она. — Выну и удавлю ими, если вспотеешь. Понял?

— Понял.

— И еще. Помнишь, что я тебе про МАДИ сказала? Пойдешь туда опять с этим Борькой — пеняй на себя. Если позовет, откажись. Прояви характер, скажи твердо: «Мне бабушка запретила!» Слабохарактерные кончают жизнь в тюрьме, запомни это и ему передай. Запомнил?

— Запомнил.

— Ну иди.

Не расшибаемый об дорогу Борька ждал меня около подъезда.

— Пошли, — сказал он.

— Куда?

— В МАДИ.

— Пошли.

— Боря, вы куда?! — послышался вдруг голос выглянувшей на балкон бабушки.

— В беседку! — ответил Борька.

— Боренька, не веди его в МАДИ, ладно? У меня есть справка от врача, что я психически больна. Я могу убить, и мне за это ничего не будет. Ты, если в МАДИ пойдете, имей это в виду, хорошо?

— Ага... — ответил Борька.

— Слушай, у нее правда такая справка есть? — спросил он, когда бабушка ушла с балкона.

— Не знаю.

— Может, не пойдем?

— Да пошли! Как она узнает? — завелся я, уверенный, что не вспотею и не выдам себя бабушке. — Мы ненадолго. Полазим немного, и сразу назад.

Перед огромными железными воротами, на ржавчине которых белой масляной краской были намалеваны четыре заветные буквы «МАДИ», я замер. «Он уважаемый человек, твой дедушка... Он пойдет...» — зазвучал у меня в ушах голос бабушки.

26

— Знаешь, давай лучше в детский сад, — предложил я Борьке.

Детский сад примыкал к МАДИ вплотную, отделялся от него забором с дыркой и по интересу был для нас на втором месте. Вечером он пустовал, и мы тоже считали его своим. Мы могли играть там во что угодно, могли сидеть в маленьких деревянных домиках и забираться на их остроконечные крыши, могли жечь костер и печь в нем принесенную из дома картошку, не боясь, что какой-нибудь прохожий разорит костер и отберет у нас спички. И спички и картошка были припрятаны в одном из домиков с прошлого раза, и чем заняться в детском саду в тот вечер, решилось само собой.

Нашу идиллию прервало появление «больших мальчишек». Так мы называли ребят из циркового училища, которые были лет на пять нас старше и тоже, как и мы, считали детский сад своим. К сожалению, они были отчасти правы. Они могли нас прогнать, мы их нет. Им, например, ничего не стоило расшибить об дорогу Борьку. А мы только могли, отойдя на приличное расстояние, крикнуть им так, чтобы они не услышали, что-нибудь обидное. Борька обзывал их козлами, а я проклинал их небом, Богом и землей. А потом мы удирали и думали: «Как мы их, а! Знай наших!»

Так вот, когда в детском саду появились «большие мальчишки», я вспомнил, что вчера очень неплохо проклял одного из них с балкона, и поэтому лучше всего будет сделать ноги. Мальчишки приближались со стороны калитки, поэтому делать ноги можно было только в МАДИ. Я уже говорил, что забор был с дыркой, вот мы ею и воспользовались. Я еще подумал: «Сторож, может, и не поймает, а эти точно руки вырвут, а вместо гаек используют картошку. Главное, только не вспотеть!»

И вот мальчишки далеко. Мы на стройке МАДИ. Борька убежал вперед, а я заметил на земле сломанную гитару и поднял ее. Мне пришло в голову, что, если влезть на забор, можно здорово подоводить лифтерш с чужого двора. Стараясь не делать слишком быстрых движений, я влез и, потрясая гитарой, закричал лифтершам: «Ай-йя-я!» — потом скорчил рожу, швырнул гитару им под ноги и, отметив про себя, что не вспотел, спрыгнул с забора обратно...

Земля расступилась подо мной обволакивающим ноги холодом и вязкой массой сошлась у пояса. Я понял, что куда-то ввалился. Это оказалась яма, наполненная раствором цемента. Еще оказалось, что сижу я в ней уже не по пояс, а по грудь и выбраться не могу. Первой мыслью было поплыть, но тут я вспомнил, что не умею. Второй — позвать на помощь. Борька был уже далеко, но даже если бы он был дома, то все равно услышал бы мои жуткие вопли. Он подбежал ко мне и с интересом, перемешанным с ужасом, долго разглядывал мою голову, словно из земли торчащие плечи и судорожно плюхающие по цементу руки.

— Ты чего это, того, да, совсем? — спросил он наконец.

— Совсем... — прохрипел я, отчаянно глотая воздух. Я тонул, и дышать было все труднее.

— А что делать? Может, тебя, того, вытащить? — подал наконец Борька дельное предложение, но тут же провалился сам по колено.

— Ну вот, видишь, что из-за тебя получилось? — вздохнул он. — Теперь дома заругают...

Он выбрался. Попробовал отряхнуть брюки — бесполезно.

— Видал, как испачкался! — сказал он, продолжая отряхиваться, но заметил, что цемент уже подступает к моей шее, и задумался.

— Знаешь, я тебя, пожалуй, вытащу, — решил он наконец и пошел за палкой.

Он тащил меня, как в кино партизаны тащат друг друга из болота. Мертвой хваткой вцепился я в протянутую Борькой доску, и через пару минут мы уже медленно брели к дому. Когда мы перевалились через забор в детский сад (так были потрясены, что даже дыркой не воспользовались!), то наткнулись прямо на тех самых мальчишек. Они доедали нашу картошку и оживленно обсуждали, чья бы она могла быть. Завидев нас, они, конечно, покатились со смеху, но мне было все равно. Впереди меня ждала бабушка.

Вот и наш двор. Цемент, который облепил меня, весил килограммов десять, поэтому походка у меня была, как у космонавта на какой-нибудь большой планете, например на Юпитере. На Борьке цемента было поменьше, он был космонавтом на Сатурне.

Лифтерши, сидевшие у подъезда, пришли от нашего вида в восторг.

— Ой! — кричали они. — Вот вывалялись-то, свиньи!

— А кто это, разобрать не могу!

— Это вон савельевский идиот, а это Нечаев из двадцать первой.

Почему я идиот, я знал уже тогда. У меня в мозгу сидел золотистый стафилококк. Он ел мой мозг и гадил туда. Знали это и лифтерши. Они знали от бабушки. Вот, например, ищет она меня с гомеопатией, спрашивает у лифтерши:

— Вы моего идиота не видели?

— Ну почему идиота... На вид он довольно смышленый.

— Это только на вид! Ему стафилококк давно уже весь мозг выел.

— А что это такое, извините?

— Микроб такой страшный.

— Бедный мальчик! А это лечится?

30

— У нормальных людей да. А ему нельзя ни антибиотиков, ни сульфаниламидов.

— Но за последнее время он вроде вырос...

— Вырос-то вырос, но когда я его в ванной раздеваю, мне делается дурно — одни кости.

— И еще ко всему и идиот?

— Полный! — с уверенностью восклицает бабушка, и чувство гордости за внука переполняет ее — второго такого нет ни у кого.

Так вот, когда савельевский идиот добрался наконец до дома и дрожащей рукой позвонил в дверь, оказалось, что бабушка куда-то ушла. Ключей у меня, конечно, не было — идиотам их доверять нельзя, — поэтому пришлось пойти к Борьке. Его мама помогла мне раздеться. Минут пять мы стаскивали пальто и столько же брюки. Ботинки, когда я снимал их, протяжно чавкнули. Варежки на резинках грузно болтались из рукавов — в них тоже был цемент. В цементе были даже подколотые бабушкой носовые платки. Я влез в ванну, отмылся. Дали мне Борину рубашку, Борины колготки. А Боря был раза в полтора меня крупнее, а колготки были ему велики. В общем, завязал я их под мышками и пошел с Борей играть. Сидим играем. Лопаем бананы. Звонок в дверь. Его мама пошла открывать.

— Вика, эта сволочь у вас?

Я похолодел и съежился внутри колготок.

— Вика, где он? Мне сказали, он пошел к вам.

— Нина Антоновна, не волнуйтесь. Все отмоем. Я дала ему Борины колготки, они сидят играют.

— Дайте его сюда.

— Нина, ты его ко мне не подпускай, я его убью! — послышался голос дедушки.

— Иди отсюда, гицель, иди!

Бабушка нашла меня, намотала колготки на руку и потащила домой.

— Ну, детка, пойдем со мной. Сейчас мы с тобой пойдем в МАДИ. Ты же любишь ходить в МАДИ? Вот мы туда и пойдем. К сторожу. Хочешь к сторожу? Сейчас... Знаешь, какой там сторож? Дедушка уже был у него. А сейчас я тебя к нему отведу. Он тебя утопит, гада, в этом цементе. Ой, скотина, все пальто изгваздал, душу бы тебе так изгваздали! Все ботинки! А брюки! Я тебе говорила, чтоб ноги твоей там не было? Говорила? Опять с этим коблом пошел? Все изгваздал... Чтоб у тебя этот цемент лился из ушей и из носа! Чтоб тебе им глаза навеки залепило! Знай, жизнь свою кончишь в тюрьме. У тебя же уголовные наклонности. Костер разжечь, на стройку залезть... И к этому ты — тварь слабохарактерная. Учиться не хочешь, хочешь только вкусно жрать, гулять и смотреть телевизор. Так я тебе погуляю! Месяц из дому не выйдешь! Все хочешь доказать: «Я такой, как все, я такой, как все». А ты не такой! Если выполз на улицу, должен пройтись спокойно, сесть, почитать... Ну, ты у меня вступишь в пионеры! Я пойду в школу к директору и скажу, как ты надо мной издеваешься.

— Нина, ты его только ко мне не подпускай, я его убью! — снова подал голос дедушка.

— И убей! Такой твари незачем жить, только другим жизнь отравлять будет. Жаль, он совсем в этом цементе не утонул, отмучились бы все.

— Только ко мне не подпускай!

«Да, — подумал я, — в ближайшее время в МАДИ лучше не ходить».

БЕЛЫЙ ПОТОЛОК

В школу я ходил очень редко. В месяц раз семь, иногда десять. Самое большое — я отходил подряд три недели и запомнил это время как череду одинаковых незапоминающихся дней. Не успевал я прийти домой, пообедать и сделать уроки, как по телевизору уже заканчивалась программа «Время» и надо было ложиться спать.

Ложиться спать я не любил. Обычно, если не требовалось рано вставать, бабушка разрешала мне смотреть с ней после программы «Время» фильм. Она почесывала натертые резинками салатовых трико места, я хрустел хлебными палочками, мы лежали на дедушкином диване и глядели в экран. Фильмы были, как правило, скучные, но дожидаться в постели сна было еще скучнее, и я смотрел все подряд.

Как-то раз мы смотрели фильм про любовь.

— Что ты смотришь? Что ты можешь тут понять? — спросила бабушка.

Я решил что-нибудь загнуть и ответил:

— Все понимаю. Оборвалася ниточка любви.

Говоря эту фразу, я знал, что «выдаю», но не ожидал, что бабушка расплачется от умиления и целую неделю будет пересказывать потом мои слова знакомым: «Думала, дурачок маленький, зря пялится, а он двумя словами суть выразил. "Оборвалася ниточка любви". Надо же так...»

С тех пор бабушка разрешала мне смотреть допоздна даже двухсерийные фильмы, но выражать двумя словами суть я больше не решался. Я все время ходил у бабушки в идиотах, знал, как трудно отличиться и произвести на нее хорошее впечатление, и, раз произведя его, старался не высовываться, чтобы оно подольше сохранилось.

Когда надо было идти в школу, смотреть вечерние фильмы бабушка не разрешала, и сразу после программы «Время» я отправлялся спать. Я лежал один в темной комнате, прислушивался к отдаленному бормотанию телевизора и ворочался от скуки, завидуя бабушке с дедушкой, которые ложились спать, когда им захочется. К счастью, школа, как я уже сказал, была редким событием, и рано ложиться приходилось нечасто.

Причин, по которым я пропускал занятия, было много, и все уважительные. Во-первых, я постоянно болел. Во-вторых, мама, наивно думавшая, что я буду жить с ней, записала меня в школу около своего дома, а дедушка, возивший меня учиться туда и обратно на машине, уезжал иногда под бабушкины проклятия по своим делам. Тогда нам приходилось добираться семь остановок на метро, и на такой подвиг бабушка решалась только в случае контрольной. Наконец, в-третьих, мы могли поехать куда-нибудь с утра на анализ, и эта причина была самой весомой.

Анализов, исследований и консультаций проводилось множество. У меня брали кровь из вены и из пальца, делали пробы на аллергию и снимали кардиограммы, смотрели ультразвуком почки и велели дышать в хитроумный аппарат, выписывающий подобные кардиограмме кривые. Все результаты бабушка показывала профессорам.

Профессор из Института иммунологии просмотрел пачку анализов и сказал, что у меня, должно быть, муковисцидоз. С болезнью этой долго не живут, и на всякий случай он посоветовал сделать еще специальное исследование в Институте педиатрии. Муковисцидоза у меня не оказалось, но в Институте педиатрии мне заодно измерили внутричерепное давление, нашли его повышенным, и это подтвердило диагноз «идиот», давно поставленный бабушкой.

В том, что я идиот, бабушка не раз убеждалась, когда я делал уроки. Я уже объяснил, почему не ходил в школу, и теперь расскажу, как выглядела моя учеба. Каждый день бабушка звонила отличнице Светочке Савцовой и узнавала у нее не только домашнее задание, но и все упражнения, которые ребята делали в классе. У меня даже было две тетради по каждому предмету — «классная» и «домашняя». В обеих я писал дома, но в «классной» до последней буквы было то же, что у сидевшей на уроках Светочки. Если в классе писали диктант, Светочка диктовала его бабушке, бабушка диктовала потом мне. Если было сочинение, я его сочинял. Если на уроке рисования рисовали молоток, я под присмотром бабушки рисовал его тоже.

Когда я болел и лежал с температурой, то заданий какое-то время не делал, но потом, чуть поправившись, должен был все наверстать. Поэтому мне часто приходилось выполнять задания за несколько дней. Но пока я успевал сделать классную и домашнюю математику за понедельник, вторник и среду, появлялась математика за четверг и пятницу. Я писал диктант, проведенный в классе во вторник, и догонял домашний русский вплоть до четверга, но была уже пятница, и к русскому классному за среду добавлялось изложение. Если болел я долго, то наверстывать задания приходилось по две недели, а потом еще неделю догонять те, что были заданы, пока я наверстывал предыдущие.

Занимался я за маленькой складной партой, которую дедушка специально ездил получать на склад магазина «Дом игрушки». Бабушка записывала уроки на листах картона и ставила их передо мной. Я с ужасом глядел на картонки с уроками за 15-е, 16-е и 17-е, а бабушка узнавала в это время, что задали с 18-го по 22-е.

— «Дядя Ваня — коммунист». «Красно яблоко в саду». «Наш паровоз мы сделали сами», — выкрикивала Светочка предложения, которые писала в классе.

— «Дядя Ваня...», так. «Красно яблоко...» Пиши, сволочь, не отвлекайся! (Это мне.) Так, что паровоз? — записывала бабушка, лежа на кровати и прижимая плечом к уху телефонную трубку. — Спасибо, Светочка. Теперь за двадцать первое продиктуй, пожалуйста. «Пионеры шли стройными рядами...» Так... «Дядя Яша зарядил винтовку...»

Продиктовав бабушке классные и домашние задания за несколько дней, Светочка, учившаяся в музыкальной школе, играла ей потом на скрипке свои собственные этюды. Глаза бабушки увлажнялись, она кидала на меня презрительные взгляды и, протягивая трубку, говорила:

— На, послушай, вот ребенок-то золотой. Счастье такого иметь.

Послушать Светочку она предлагала неоднократно, но послушал я только один раз. Потом вернул трубку бабушке и сказал:

— Ну и что? Скрипит, как дверь, подумаешь.

— Дверь?! Чтоб ты, сволочь, скрипел, как дверь! Она играет на скрипке! Девочка учится в музыкальной школе. Она умница, а ты — кретин и дерьма ее не стоишь!

С последним замечанием, которое было таким обидным, что в школе мне не раз хотелось столкнуть Светочку с лестницы, бабушка сунула мне под нос картонку с новыми уроками, пообещала, что если я сделаю ошибку, то она меня так ошибет, что люди будут ошибаться, принимая меня за человека, а после этой угрозы легла обратно на кровать и два часа разговаривала со Светочкиной мамой.

— Ой, что вы, — говорила бабушка, — ваша Света здоровая девочка ·по сравнению с этой падалью! У него золотистый патогенный стафилококк, пристеночный гайморит, синусит, франтит... Тонзиллит хронический. Когда я его в ванной раздеваю, мне от его мощей делается дурно... Нет, что вы, в какой бассейн! Да где уж там перерастет! Бывает, перерастают, но не такие, как он. Ну, Света ваша здоровая девочка, она-то перерастет, конечно! Что у нее? Диатез на шоколадку? А поджелудочную железу вы ей не проверяли? У него она увеличена. А к этому и печень больна, и почечная недостаточность и ферментативная... Панкреатит у него с рождения... Есть мудрая поговорка,

Вера Петровна: за грехи родителей расплачиваются дети. Он расплачивается за свою мать-потаскуху. Первый муж, Сашин отец, ее бросил, и правильно сделал. Не знал только, что ей гормон в голову так стукнет, что забудет все на свете. Нашла себе в Сочи усладу — алкаша с манией величия, пестует его непризнанный гений. Ребенка бросила мне на шею. Пять лет с ним маюсь, а она только раз в месяц припрется, ляжет на диван и еще жрать просит. А у меня все продукты с рынка для калеки ее, самой иногда есть нечего, одним творогом перебиваюсь. Ой... Это она заиграла? Солнце, заинька, как играет! Она будет великим скрипачом у вас! Тьфу-тьфу-тьфу, стучу по дереву... Извините, у меня борщ горит, я побежала. Всего хорошего. Желаю вам здоровья побольше, только здоровья, остальное будет. Светочке привет, умница, из нее будет толк. До свидания...

— Надо же так забить мозг! — сказала бабушка, положив трубку. — Заговорит так, что не отвяжешься. Ну, что ты написал? «Наш паровоз мы зделали сами...» Идиот! Сволочь! Чтоб тебя переехал паровоз, который они сделали! Давай бритву!

Я дал бабушке бритву, которая была важнейшим предметом в моих занятиях и всегда лежала под рукой. Чтобы тетрадь была без помарок, бабушка не разрешала ничего зачеркивать, а вместо этого выскребала ошибочные буквы бритвенным лезвием, после чего я аккуратно исправлял их.

— Какой подлец, а... — приговаривала бабушка, принимаясь выскребать букву «з», но почему-то в слове «паровоз». — Из-под палки учишься.

— Ты не там выскребаешь, — сказал я.

— Я тебя сейчас выскребу! — крикнула бабушка и помахала бритвой у меня под носом. — Забил мозг, конечно, не там выскребаю!

Она выскребла там, где надо, я исправил ошибку, и бабушка стала проверять дальше.

— «На дравнях выбирает путь!» Вот ведь кретин! Второй год на бритвах учишься. Чтоб тебе все эти бритвы в горло всадили! На, пиши, исправила. Еще раз ошибешься, я из тебя «дравни» сделаю. — И бабушка снова сунула мне под нос тетрадь.

Я стал писать дальше. Бабушка легла на кровать и взяла «Науку и жизнь». Изредка она поглядывала на меня, стараясь понять, не пора ли ей снова брать бритву и делать из меня «дравни».

Я писал, с тоской глядя на длинный столбец предложений, и вспоминал, как пару дней назад написал, что «хороша дорога примая». Бабушка выскребла ошибочную «и», я вписал в пустое место букву «е», но оказалось, что «премая дорога» тоже не годится. Желая, чтоб дорога мне была одна — в могилу, бабушка принялась скрести на том же месте, проскребла лист насквозь и заставила меня переписывать всю тетрадь заново. Хорошо еще, я недавно ее начал.

Тут я поймал себя на том, что в предложении про солнце вывожу один и тот же слог второй раз. Получилось, что солнце восходит, освещая все «румяняняной» зарей. Увидев содеянное, я съежился за партой, затравленно глянул на бабушку и встретился с ее пристальным взглядом. Поняв, что она заподозрила неладное, я решил спасаться бегством, встал и со словами: «Ну нет, я так больше не могу заниматься» — пошел из комнаты.

— Что, ошибку сделал? — спросила бабушка, грозно откладывая в сторону «Науку и жизнь».

— Да, посмотри там... — ответил я, не оборачиваясь. Чтобы не быть зажатым в угол, мне нужно было скорее добраться до дедушкиной комнаты, где в центре стоял большой стол. Бегая вокруг него, я мог держать бабушку на расстоянии.

— «Румяняняной»! Сволочь! — послышалось у меня за спиной, но я уже достиг стола и приготовился. Когда бабушка появилась на пороге дедушкиной комнаты, я был как спринтер на старте.

— Бля-я-дю-ю-га-а! — раздалось вместо стартового выстрела.

Бабушка рванулась ко мне. Я от нее. Карусель вокруг стола началась. Мимо меня неслись буфет, сервант, диван, телевизор, дверь, и снова буфет, и снова сервант, а сзади слышалось зловещее дыхание бабушки и угрозы в мой адрес.

— Иди сюда, сволочь! — грозила она. — Иди, хуже будет. Иди, или я тебя бритвой на куски порежу... Иди сюда, не будь трусом. Стой, я тебе ничего не сделаю. Стой. Иди сюда, Сашуня, я тебе дам шоколадку. Знаешь какую? Вот такую...

Какую именно, я не видел, потому что бежал не оборачиваясь.

— Иди сюда, я тебе куплю вагончиков к железной дороге, а не пойдешь, куплю и разломаю на твоей голове. Иди сюда.

Внезапно бабушка остановилась. Я остановился напротив. Нас разделял стол.

— Иди сюда по-хорошему.

Я замотал головой.

— Иди сюда, я посмотрю, не вспотел ли ты.

— Не пойду.

Бабушка сделала ко мне шаг вдоль стола. Я сделал шаг от нее.

Вдруг лицо бабушки стало хитрым. Она навалилась на стол, и я, не успев ничего предпринять, оказался прижатым к балконной двери. Спасения не было. Я заверещал, как пойманный в капкан песец. Бабушка схватила меня и торжествующе поволокла назад к парте.

— Румяняняной зарей... — приговаривала она. — Чтоб ты уже никакой зари не увидел!

Бабушка села за парту, взяла бритву и протянула:

— Га-ад. Так издеваться! Так кровь из человека пить! Матери твоей сколько талдычила: «Учись, будь независимой», сколько тебе талдычу — все впустую... Такой же будешь, как она. Таким же дерьмом зависимым. Ты будешь учиться, ненавистный подлец, ты будешь учиться, будешь учиться?!!! — закричала вдруг бабушка во весь голос и, отбросив в сторону бритву, схватила ножницы, которыми я вырезал заданную на уроке труда аппликацию.

— Ты будешь заниматься?! — кричала бабушка, втыкая на каждое слово ножницы в парту. — Заниматься будешь?! Учиться будешь?!!!

Ножницы оставляли на парте глубокие рваные выемки.

— Учиться, будешь?! Заниматься будешь?!

Я дрожал, стоя возле бабушки, и не смел не только убежать, но даже отвести от нее взгляд.

— Будешь заниматься?! Будешь учиться?! А-а!.. А-ах... а-агх-аха-ха!.. А-а! — зарыдала вдруг бабушка и, выронив ножницы, схватилась руками за лицо.

— А-ах... а-а-а! — кричала она и, продолжая кричать, начала корябать лицо ногтями.

Показалась кровь. Я словно прирос к полу и не знал, что делать. Меня охватил ужас. Я думал, что бабушка сошла с ума.

— Ах-ах-а-аа! — корябала лицо бабушка. — А-ах! — вскрикнула она как-то особенно пронзительно, ударилась головой о парту и начала сползать со стула.

— Бабонька, что с тобой?! — закричал я.

— Ах... — тихо и невнятно простонала бабушка.

— Баба, что ты... Что с тобой?! Чем тебе помочь?

— Уйди... мальчик... — с трудом проговорила бабушка, делая ударение на последнем слове.

— Баба, что делать? Тебе нужно какое-нибудь лекарство... Баба!

— Уйди, мальчик, я не знаю тебя... Я не бабушка, у меня нет внука.

— Баба, да это же я! Я, Саша!

— Мальчик, я... не знаю тебя, — приподнимаясь на локте и всматриваясь в мое лицо, сказала бабушка. Потом, убедившись, видимо, что я действительно незнаком ей, она снова откинулась назад, запрокинула голову и захрипела.

— Баба, что делать?! Вызвать врача?

— Не надо врача... мальчик... Вызывай его себе...

Я склонился над бабушкой. Она посмотрела вверх словно сквозь меня и сказала:

— Белый потолок... Белый, белый...

— Баба! Бабонька! Ты что, совсем меня не видишь? Очнись! Что с тобой?!!!

— Довел до ручки, вот со мной что! — ответила бабушка и вдруг неожиданно легко встала. — Учишься из-под палки, изводишь до смерти. Ничего, тебе мои слезы боком вылезут. «Румяняняной...» — передразнила она. — Болван.

Исправив бритвой ошибку, бабушка стянула резинкой растрепавшиеся волосы и пошла смывать с царапин на лице кровь. Я, ничего не соображая, сел за парту.

— Господи! — послышался вдруг из ванной плач. — Ведь есть же на свете дети! В музыкальных школах учатся, спортом занимаются, не гниют, как эта падаль. Зачем ты, Господи, на шею мою крестягу такую тяжкую повесил?! За какие грехи? За Алешеньку? Был золото мальчик, была бы опора на старости! Так не моя в том вина... Нет, моя! Сука я! Не надо было предателя слушать! Не надо было уезжать! И курву эту рожать нельзя было! Прости, Господи! Прости, грешную! Прости, но дай мне силы крестягу эту тащить! Дай мне силы или пошли мне смерть! Матерь Божья, заступница, дай мне силы влачить этот тяжкий крест или пошли мне смерть! Ну что мне с этой сволочью делать?! Как выдержать?! Как на себя руки не наложить?!

Я молчал. Мне еще надо было делать математику за три дня.

ЛОСОСЯ́

Этот рассказ я начну с описания нашей квартиры. Комнат у нас было две. Сразу у прихожей за двустворчатыми стеклянными дверями располагалась комната дедушки. Дедушка спал там на раскладном диване, который никогда не раскладывал, потому что внутри была спрятана какая-то старая, переложенная от моли пучками зверобоя одежда и материя. Моль зверобоя боялась и в диван не лезла, но вместо нее там жили мелкие коричневые жучки, боявшиеся только крепкого дедушкиного пальца и сопровождавшие свою смерть оглушительной вонью. Кроме дивана с жучками в комнате стояли стол, сервант, огромный буфет, который бабушка называла саркофагом, телевизор и два табурета. Верх буфета был сплошь заставлен дедушкиными сувенирами. Дедушка был артистом, много ездил по разным городам с концертами и из каждого города привозил какого-нибудь деревянного медведя с бочонком, бронзовую Родину-мать с мечом, обелиск «Никто не забыт, ничто не забыто» или костяной значок «390 лет Тобольску». За каждый сувенир дедушка осыпался проклятиями.

— Надо же столько барахла в дом натащить! — ругалась бабушка по поводу разрисованной тарелки «Гульбіща з турам» и вырезанного из небольшого пня Ильи Муромца. — Хоронить будут, в гроб все не поместится!

— Ну что делать, Нин, дарят... — отвечал дедушка, пристраивая Илью Муромца между жестяным танком от Таманской дивизии и бронзовым бюстом задумавшегося Максима Горького.

— Дарят, а ты не бери!

— Неудобно.

— Значит, возьми и оставь в гостинице. Проводникам в поезде оставь.

— Ну как «оставь», подарили ведь... — робко настаивал дедушка, с любовью прислоняя «Гульбіща з турам» к музыкальной сигаретнице, изображавшей трехтомник Ленина. «Гульбіща» прислонились плохо, покатились и, сбросив на пол мальчика-молдаванчика в высокой шапке, разлетелись вдребезги.

— Вот хорошо, одним куском дерьма меньше! — обрадовалась бабушка. — Я бы все переколотила, да еще об твою голову!

— И не склеишь уже... — бормотал дедушка, собирая осколки.

Если верх буфета был заставлен дедушкиными сувенирами, чем были забиты его ящики, не знал толком никто. Я пару раз открывал их, видел какие-то пластинки, мотки шерсти, пыльные бутылки вина, посуду. Вещи эти никогда не вынимались и полностью оправдывали присвоенную буфету кличку — саркофаг. Слушать пластинки было не на чем, вязанием бабушка не занималась, а чтобы пить вино и пользоваться посудой, нужны были гости, которые к нам никогда не ходили.

Открывать буфет и трогать лежавшие в нем предметы, среди которых попадались занятные безделушки вроде деревянного автомобиля «Победа» с часами на месте запасного колеса, бабушка запрещала. Она говорила, что все это чужое. Какие-то люди, по ее словам, куда-то уехали и оставили эти вещи ей на хранение. Чужой оказалась даже коробочка леденцов — бабушка сказала, что ее оставил на хранение один генерал. Коробочку я все же тиснул, но, внимательно рассмотрев ее, прочел: «Ф-ка им. Бабаева». Решив, что Бабаев — это фамилия генерала, а Фкаим — его странное имя, я тут же положил леденцы на место. С человеком по имени Фкаим лучше было не связываться.

Вторую комнату мы называли спальней. Там стояли два огромных шкафа, набитых, как и буфет, неизвестно чем, мутное зеркальное трюмо с тумбочками по бокам и огромная дву-

49

спальная кровать, на которой спали мы с бабушкой. С бабушкиной стороны стояла еще одна тумбочка, где хранились мои анализы, а с моей, чтобы я не упал ночью, были подставлены спинками к кровати три стула. На сиденьях их лежали обычно мои вещи — шерстяные безрукавки, фланелевые рубашки, колготки. Колготки я ненавидел. Бабушка не разрешала снимать их даже на ночь, и я все время чувствовал, как они меня стягивают. Если по какой-то случайности я оказывался в постели без них, ноги словно погружались в приятную прохладу, я болтал ими под одеялом и представлял, что плаваю.

Как выглядела наша кухня, можно было представить, когда я рассказывал про поставленный на видное место чайник. Могу только добавить, что из «видных мест» состояла в общем-то вся квартира. Повсюду были нагромождены какие-то предметы, назначения которых никто не знал, коробки, которые неведомо кто принес, и пакеты, в которых неизвестно что лежало. Кухонный стол сплошь был уставлен лекарствами и какими-то баночками. Если мы с дедушкой обедали вместе, баночкам приходилось потесниться, и некоторые из них, не выдержав нашего соседства, валились с другого конца стола на пол. На шкафах лежали выложенные в ряд дозревать яблоки, бананы или хурма — в зависимости от сезона. Иногда хурма дозревала слишком, и над ней начинали виться крошечные мошки. Они же вились всегда над стоявшими на мойке коробочками с сырными корками и прочими мелкими отходами, приготовленными бабушкой для подкармливания птиц. Пол в коридоре бабушка застилала газетами, меняя их по мере ветшания. Она боялась инфекции, обдавала кипятком ложки и тарелки, но говорила, что на уборку у нее нет сил.

Самыми интересными деталями нашего интерьера были два холодильника. В одном хранилась еда и консервы, которые брал на рыбалку старый гицель, другой битком был набит шоколадными конфетами и консервами для врачей. Хорошие конфеты и икру бабушка дарила гомеопатам и профессорам; конфеты похуже и консервы вроде лосося — лечащим врачам поликлиник; шоколадки и шпроты — дежурным врачам и лаборанткам, бравшим у меня кровь на анализ.

День, который я опишу в этом рассказе, начался с того, что бабушка, выбирая из одного холодильника лучшие конфеты для гомеопата, ругала дедушку, выбиравшего из другого холодильника худшие консервы для предстоявшей рыбалки. Дедушка всегда брал на рыбалку консервы похуже, потому что получше могли еще полежать, а похуже лежали уже давно и вот-вот могли испортиться.

— С дочерью я маялась — ты таскался, внук подыхает — ты таскаешься. Предателем был, предателем остался, — говорила бабушка, перебирая коробки конфет, многие из которых покоробились от долгого лежания и годились теперь только лечащим врачам. — И машина у тебя желтая. Желтый цвет — цвет предательства, какую ж ты еще мог выбрать, иуда тульский? Неделю назад сказала, что сегодня ехать к гомеопату, но как же! Тебе твои интересы превыше всего! Ничего, возмездие за все есть. Бог даст, это будет последняя твоя рыбалка. Может, отравишься консервами своими, они, поди, еще с Первой мировой войны заготовлены.

— Нин, ну я обещал Леше, — не то чтобы виновато, но как бы сомневаясь в своей правоте, сказал дедушка и, помолчав секунду, уточнил: — Еще месяц назад.

В дверь позвонили.

— Открой, Нина, это Леша!

Протерев рукавом густо заштопанного на локтях халата выбранную для гомеопата коробку конфет, бабушка пошла открывать.

— Сейчас так пошлю этого Лешу, что дорогу забудет... — приговаривала она, возясь с замком. Он барахлил и часто заскакивал.

— Здравствуйте, Нина Антоновна. Можно? — спросил Леша, пенсионер, с которым дедушка подружился, когда тот еще работал портным в ателье на первом этаже нашего дома.

— Нельзя! Видеть вас, садистов, в доме своем не хочу! Рыбаки... Палачи вы! Страсть к убийству покоя не дает, не знаете, как утолить. Человека убить боитесь, так хоть рыбину изничтожить. Такие же трусы, как вы, придумали эту рыбалку.

— А сама-то рыбку кушаешь! — поддел бабушку дед, подмигнув вошедшему Леше. В его присутствии он всегда становился смелее.

— Подавись ты своей рыбой! Я даю ее ребенку, а сама ем только потому, что у меня больная печень, мне нельзя мяса. Ты о моем здоровье никогда не думал. Если бы хоть часть времени, что ты уделяешь своей машине и своей рыбалке, ты уделял мне, я была бы Ширли Маклейн!

Леша, привычный к такого рода сценам, молча присел на дедушкин диван и оперся подбородком на сложенный спиннинг.

— Десять лет назад просила зубы мне сделать. Сделал? Один раз на рентген отвез. На, посмотри, что теперь! — Бабушка показала дедушке зубы, торчавшие в разные стороны редкими полусгнившими пеньками. — Как в машине что зашатается, поди, сразу колупать ее едешь! Чтоб ты разбился на машине своей!

— Пошли, Леш, — сказал дедушка, подхватывая с пола удочки и рюкзак.

Бабушка стояла рядом, и, надевая рюкзак на плечо, он задел ее.

— Толкай, толкай! — заголосила бабушка и пошла следом за дедушкой до самого лифта. — Судьба тебя толкнет так, что не опомнишься! Кровью за мои слезы ответишь! Всю жизнь я одна! Все радости тебе, а я давись заботами! Будь ты проклят, предатель ненавистный!

Захлопнув за дедушкой дверь, бабушка вытерла выступившие слезы и сказала:

— Ничего, Сашенька, на метро доедем. Пусть он подавится помощью своей, все равно никогда не дождешься.

— А зачем нам гомеопат? — спросил я.

— Чтоб не сдохнуть! Не задавай идиотских вопросов.

В дверь опять позвонили.

— Забыл что-нибудь, поц старый... — пробормотала бабушка. — Сейчас так пошлю... Кто там?

— Я, Нина Антоновна, — послышался из-за двери голос медсестры Тони.

Похожая в своем белом халате на бабочку-капустницу, Тоня приходила каждую неделю и брала у меня на анализ кровь из пальца. Потом эти анализы бабушка показывала специалистам, чтобы установить какую-то «динамику». Динамики не было, и Тоня приходила уже не первый месяц.

— Тонечка, солнышко, здравствуйте! — заулыбалась бабушка, быстро спрятав конфеты для гомеопата под газету и только после этого открыв дверь. — Ждем вас, как света в окошке. Заходите.

Раскрыв на столе специальную сумку, Тоня достала пробирки и обмахнула мне палец наспиртованной ватой.

— Что это вы, Нина Антоновна, вроде плакали? — спросила она, продувая стеклянную трубочку.

— Ах, Тонечка, как не плакать от такой жизни! — пожаловалась бабушка. — Ненавижу я эту Москву! Сорок лет ничего здесь, кроме горя и слез, не вижу. Жила в Киеве, была в любой компании заводилой, запевалой. Как я Шевченко читала!

> Душе моя убогая, чого марно плачешь?
> Чого тоби шкода? Хиба ты не бачишь,
> Хиба ты не чуешь людского плачу?
> То глянь, подывися. А я полечу.

Хотела актрисой быть, отец запретил, стала работать в прокуратуре. Так тут этот появился — артист из МХАТа, с гастролями в Киев приехал. Сказал — женится, в Москву увезет. Я и размечталась, дура двадцатилетняя! Думала, людей увижу, МХАТ, буду общаться... Как же!

Тоня уколола мне палец и стала набирать кровь в капиллярную трубочку. Бабушка, вытирая слезы, продолжала:

— Впер меня в девятиметровую комнату, и сразу ребенок... Алешенька, чудо мальчик был! Разговаривал в год уже! Больше жизни его любила. Так война началась, этот предатель заставил меня в эвакуацию отправляться. На коленях молила, чтоб в Москве оставил! Отправил в Алма-Ату, там Алешенька от дифтерита и умер. Потом Оля родилась, болела все время. То коклюш, то свинка, то желтуха инфекционная. Я с ног сбивалась — выхаживала, а он только по гастролям разъезжал и ходил к соседям Розальским шашки двигать. И так все сорок лет. Теперь вместо гастролей по концертам ездит, на рыбалку и общественной работой занимается — сенатор выискался. А я, как всегда, одна с больным ребенком. А ему что, Нинка выдержит! Ломовая лошадь! А не выдержит, так он себе молоденькую найдет. За квартиру да за машину любая пойдет, не посмотрит, что говно семидесятилетнее в кальсонах штопаных.

Тоня раска́пала мою кровь по пробиркам и, прижав к моему пальцу вату с йодом, стала собираться.

— Спасибо, Тонечка, простите, что расплакалась перед вами, — сказала бабушка. — Но когда всю жизнь одна, хочется с кем-нибудь поделиться. Постойте секундочку, я вам хочу приятное сделать, вы столько нас выручаете. — С этими словами бабушка открыла заветный холодильник и достала из него банку консервов. — Возьмите, солнышко, шпротов баночку. Я понимаю, это мелочь, но мне так хочется вас отблагодарить, а ничего другого у меня просто нету.

Бабушкина забывчивость меня удивила. Я прекрасно знал содержимое холодильника и решил напомнить, чем еще можно отблагодарить Тонечку.

— Как нету?! — крикнул я, настежь открывая холодильную дверцу. — А лосося?! Вон икры еще сколько!

— Идиот, это позапрошлогодние банки! — оборвала меня бабушка. — Что я, по-твоему, могу дать Тонечке несвежее?!

— До свидания, Нина Антоновна! Саша, до свидания... — заторопилась Тоня и, отяготив карман халата жестяным диском шпротов, покинула квартиру.

— Нет, я думала, большего болвана, чем твой дедушка, в природе не существует, но ты и его перещеголял, — сказала бабушка, закрыв за Тоней дверь. — Кто тебя потянул за одно место? Лосося... Сейчас такого лосося дам, что забудешь, кто ты есть! Это лосось для Галины Сергевны, а икра профессору. Одевайся, кретин, пора к гомеопату ехать. Пока на метро доберемся, он нас и ждать перестанет. Чтоб эта машина развалилась под твоим дедушкой, как жизнь развалилась моя. Одевайся...

Дедушка с Лешей сидели на берегу водохранилища и ловили рыбу. Леша следил за колокольчиком заброшенного далеко в воду спиннинга и вполуха слушал сидевшего около него с удочкой дедушку.

— Тяжело, Леш, сил больше нет, — жаловался дедушка, поглядывая на тонкий гусиный поплавок. — Раза три уже думал в гараже запереться. Пустить мотор, и ну его всё... Только и удерживало, что оставить ее не на кого. Она меня клянет, что я по концертам езжу, на рыбалку, а мне деваться некуда. В комиссию бытовую вперся, в профсоюз — только бы из дома уходить. Завтра вот путевки распределять буду — уже хорошо, пройдет день. На концерты эти и не ходит никто, а я езжу. То в Ростов, то в Могилев, то в Новый Оскол. Думаешь, большая радость? Но хоть гостиница, покой, прием иногда хороший устроят. А дома несколько дней проведу, чувствую — сердце останавливается. Заедает насмерть. То Дездемона, то Анна Каренина. «Зачем ты меня увез из Киева, зачем ты меня отправил в эвакуацию, зачем ты меня положил в психушку?..»

— В психушку?

— Она ж больная психически, Леш. Тридцать лет назад у нее мания преследования была. Рассказала на кухне какой-то анекдот про царя, а через несколько дней пришли топтуны, забрали из соседней квартиры Федьку Зильбермана, врача, и о ней спросили: «Кто такая, почему такая молодая, нигде не работает?» Объяснили: мол, с ребенком сидит. А с ней паника: «Меня посадят, меня заберут...» Побежала к Верке, соседке, а та подбросила: «Конечно, посадят! Этого за анекдот взяли, того посадили!» Что с ней творилось, Леш! Шубу новую я из Югославии ей привез — в клочки изрезала. Духов флакон «Шанели» — разбила. Говорит, придут с обыском, найдут, скажут — связь с заграницей. В троллейбусе кто-то взглянет — она выбегает, ловит такси. Дочь под одеяло прятала, шептала: «Доченька, меня посадят, будь умницей, слушайся папу». Мне посоветовали ее в больницу положить, я положил. Так ее до волдырей искололи, еще хуже стало. С тех пор никакого житья. Мне советуют ее сейчас в клинику положить хотя бы на месяц. Все-таки время другое, можно и с врачами договориться, и навещать. Но не могу я! Она меня за тот раз тридцать лет клянет, предателем называет — как я ее опять положу? Да и Сашей кто заниматься будет? Болеет парень все время, благодаря ей только и тянет.

— А мать что же?

— Мать! Прокляла ее бабка, и правильно! Он жил с ней до четырех лет. Бабка к ним на квартиру почти каждый день ходила, помогала. Пеленки стирала, готовила. Весь дом на ней был. Потом Оля с мужем развелась, Саше тогда три года было, я стал предлагать: «Оль, иди к нам с ребенком. Бабка в Саше души не чает, будем жить все вместе. Квартиру твою сдадим, всем легче будет». «Нет, — говорит, — не хочу быть от вас зависимой, не могу жить с матерью». Я нажимаю, говорю: «Больной парень у тебя — тяжело будет. Переезжай к нам». Согласилась было, и тут карлик этот на нашу голову свалился...

— Карлик?

— Ну, не карлик, но вот такого роста, Леш! — Дедушка поднял руку на метр от земли. — Художник, черт бы его побрал! Нищий, пьющий — и знаешь откуда? Из Сочи!

— Любовь зла, — засмеялся Леша.

— Меня чуть второй инфаркт не хватил! Говорит, он талантливый, но это же дурой надо быть, чтобы не понимать, что ему прописка московская нужна! Что, в Москве талантливых алкоголиков мало? Но вериишь, Леш, все бы простил — пусть карлик, пусть пьет, пусть прописку хочет. Расхлебывай сама, если дура! Но что ребенка из-за него предала — ни ему никогда не прощу, ни ей. Повезла Сашу в Сочи знакомить с ним, привезла назад с воспалением легких, бросила на нас и в тот же день опять туда уехала. Карлик там не то тоже заболел, не то запил.

— Да-а... — осуждающе протянул Леша, подматывая катушку спиннинга.

— Мы с бабкой и решили после этого Сашу не отдавать. Нельзя такой матери ребенка иметь! Она вернулась, мы ей так и сказали. А она, сволочь, что сделала — дождалась, когда он поправился, подкараулила его во дворе и увела. Он дурачок, пошел, конечно, мама все-таки, не понимает, что даром этой маме не нужен. Бабка по двору бегала, криком кричала. Такой ужас был... Лифтерши сказали, она его в цирк повела. Я на машину и туда с бабкой. И как раз они в антракте выходят. Он задыхается, лицо распухло, слезы из глаз. У него же аллергия, а в цирке животные. Бабка увидела, чуть в обморок не упала. Я его в машину посадил и увез. Пятый год с тех пор с нами живет. А эта с карликом. Он два года назад к ней переехал.

Леша присвистнул.

— А ребенка так и забыла?

— Плакала сначала, просила отдать. Карлик этот тоже вмешивался. Письмо мне написал! «Вы не имеете права... Вы заставляете ребенка предавать свою мать...» Он мне права указывать будет, алкаш чертов! Потом как-то утряслось все. Сейчас она приходит иногда, каждый раз скандалит с бабкой, доводит ее до истерики. Говорит, мы у нее ребенка украли. Дура! Он загнулся бы у нее. Им заниматься надо с утра до ночи, врачам его показывать, а у нее в голове только хер этот да его художества. Всю квартиру «творчеством» своим загромоздил, а квартира, между прочим, мной построена — и для дочери, а не ему под мастерскую. И знаешь, какую наглость имел! Сашу перед школой хотели отдыхать отправить, так он предложил: «У меня дом в Сочи свободен, можете туда на лето поехать». Сам влез в мою квартиру и говорит, что его дом свободен! Ну где это видано?!

— А что? — удивился Леша дедушкиному негодованию, отрезая себе хлеб для бутерброда. — Взяли бы да поехали.

— В Сочи?! У Саши после той поездки еще два воспаления легких было. Если только смерти ему желать... Ты горбушки не ешь? Дай, я бабке возьму, а то ей мякиш вредно... Спасибо. Я ему тогда в Железноводск путевку взял. С бабкой они ездили — она во взрослый санаторий, он в детский. Врачи, процедуры, диета. Целый месяц отдыхал, лечился. Приехал и сразу заболел опять. Постоянно болеет парень. Был бы здоровый, может, и жил бы с матерью, нам хлопот меньше, а так куда его? Загнется без нас. Сегодня вот опять они к гомеопату поехали...

— Здравствуйте, здравствуйте! — приветствовал нас с бабушкой престарелый гомеопат.

— Простите за бога за-ради — опоздали. — извинялась бабушка, переступая порог. — Дед на машине не повез, пришлось на метро добираться.

— Ничего, ничего, — охотно извинил гомеопат и, наклонившись ко мне, спросил: — Ты, значит, и есть Саша?

— Я и есть.

— Чего ж ты, Саш, худой такой?

Когда мне говорили про худобу, я всегда обижался, но сдерживался и терпел. Стерпел бы я и в этот раз, но когда мы с бабушкой выходили из дома, одна из лифтерш сказала другой вполголоса: «Вот мается, бедная. Опять чахотика этого к врачу повела...»

Вся моя сдержанность ушла на то, чтобы не ответить на «чахотика» какой-нибудь из бабушкиных комбинаций, и на гомеопата ее уже не хватило.

— А чего у вас такие большие уши? — с обидой спросил я, указывая пальцем на уши гомеопата, которые действительно делали его похожим на пожилого Чебурашку.

Гомеопат поперхнулся.

— Не обращайте внимания, Арон Моисеевич! — заволновалась бабушка. — Он больной на голову. А ну быстро извинись!

— Раз больной, извиняться нечего, — засмеялся гомеопат. — Извиняться будет, когда вылечим. Пойдемте в кабинет.

Стены кабинета были увешаны старинными часами, и, желая показать свое восхищение, я почтительно сказал:

— Да-а... У вас есть что пограбить.

Тут я увидел в смежной комнате множество икон и восторженно воскликнул:

— Ого! Да там еще больше!

— Идиот, что поделать, — успокоила бабушка снова поперхнувшегося гомеопата.

— Хорошо ты меня подставил, — говорила она, когда мы вышли на улицу. — Он уж уверен теперь, что мы вора воспитываем. Лосося... Пограбить... Вот непосредственность идиотическая! Пограбить-то, конечно, есть что. Пятьдесят рублей за прием. Жулик! Но надо думать, прежде чем рот открывать.

Бабушка часто объясняла мне, что и когда надо говорить. Учила, что слово серебро, а молчание золото; что есть святая ложь и лучше иногда соврать; что надо быть всегда любезным, даже если не хочется. Правилу святой лжи бабушка следовала неукоснительно. Если опаздывала, говорила, что села не в тот автобус или попалась контролеру; если спрашивали, куда уехал с концертами дедушка, отвечала, что он не на концерте, а на рыбалке, чтобы знакомые не подумали, будто он много зарабатывает и, позавидовав, не сглазили. Любезной бабушка была всегда.

— Всего доброго, Зинаида Васильевна, — улыбалась она на прощание знакомой. — Здоровья вам побольше. Главное — здоровье, остальное приложится. Ванечке привет. На каком он курсе?

— На втором, — расплывалась Зинаида Васильевна.

— Умница мальчик, будет толк из него. Ему тоже здоровья, пусть сдает на одни пятерки.

— Оттяпала, сволочь, трехкомнатную в кооперативе, чтоб у нее все прахом пошло, — говорила бабушка, когда мы отходили подальше. — И внука своего, идиота, в МИМО вперла. У таких, как она, все схвачено. Не то что дедушка твой — поц. Десять лет в бытовой комиссии, за все время только путевку в Железноводск взял. Неудобно ему, видите ли...

Следуя правилам святой лжи и обязательной любезности, бабушка забывала, что слово серебро, а молчание золото, и временами выдавала «лосося» не хуже меня. Выходя от гомеопата и слушая упреки по поводу своей непосредственности, я вспоминал, как несколько дней назад мы ходили в поликлинику делать укол кокарбоксилазы. Перед выходом, прошу прощения за деликатную подробность, бабушка поставила мне свечку. Зачем она мне их ставила, не знаю. Надеюсь, не затем, чтобы по жирным пятнам определять, на какой стул сколько раз я садился. Свечки эти имели ужасную особенность, которой случилось проявиться в коридоре перед кабинетом, где в ожидании своей очереди сидели человек восемь.

«Пу-у-у-у...» — послышалось вдруг из меня, и все заулыбались. Я испуганно сжался. «Пу-у» изменило тембр и, продолжая менять его, тянулось долго и протяжно. Вокруг засмеялись.

— Что смеетесь, идиоты?! — крикнула бабушка. — У ребенка свечка в попке! Выходит — и такой звук. Ничего смешного!

У сидевших перед кабинетом оказалось другое мнение, и некоторые стали сползать от хохота со стульев. Что говорить, в непосредственности бабушка мне не уступала!

Думая, сказать об этом или нет, я шел с ней по набережной к метро и смотрел на другой берег Москвы-реки, где виднелись аттракционы Парка Горького. Попасть в парк я мечтал уже давно, но об этом в следующем рассказе...

ПАРК КУЛЬТУРЫ

Моя бабушка считала себя очень культурным человеком и часто мне об этом говорила. При этом, был ли я в обуви или нет, она называла меня босяком и делала величественное лицо. Я верил бабушке, но не мог понять, отчего, если она такой культурный человек, мы с ней ни разу не ходили в Парк культуры. Ведь там, думал я, наверняка куча культурных людей. Бабушка пообщается с ними, расскажет им про стафилококк, а я на аттракционах покатаюсь.

Покататься на аттракционах было моей давней мечтой. Сколько раз видел я по телевизору, как улыбающийся народ несется на разноцветных сиденьицах по кругу огромной карусели! Сколько раз завидовал пассажирам, которых под вопли и уханья мчали вверх и вниз по ажурным переплетениям вагончики американских горок! Сколько смотрел, как, искря, сталкиваются и разъезжаются на прямоугольной площадке маленькие электрические автомобили с длинной, похожей на антенну штуковиной!

Я размышлял, кто куда полетит, если оборвутся цепочки карусели, что будет, если вагончик американских горок сойдет с рельсов, и как сильно может ударить током от искрящих автомобильчиков, но, несмотря на такие мысли, страстно желал на всем этом покататься и упрашивал бабушку сводить меня в Парк культуры. Бабушка же, напротив, вовсе не хотела туда идти, и лишь однажды, когда мы возвращались от гомеопата, мне удалось ее туда затащить.

— Бабонька, пойдем погуляем чуть-чуть в парке! Я там никогда не был! — упрашивал я бабушку, набравшись неведомо откуда наглости.

— И не надо. Туда одни алкоголики ходят распивать.

— Нет, не одни... Пожалуйста, баба! Пойдем. На полчасика!

— Нечего там делать.

— Хоть на десять минут! Только посмотреть, как там!

— Ну ладно...

Как же я радовался, когда бабушка согласилась! Я уже видел себя за рулем автомобильчика, предвкушал, как под веселую музыку буду получать острые ощущения на какой-нибудь человекокрутящей машине, и, стоило нам миновать ворота парка, тут же потянул бабушку вперед, ожидая увидеть аттракционы. Аттракционов не было. Я рассчитывал, что парк будет битком набит украшенными цветными лампочками каруселями и американскими горками, но вокруг были только фонтаны и красивые, посыпанные красным песком дорожки.

— И правда хорошо, — сказала бабушка, вальяжно шагая по аллее. — Молодец, вытащил бабку. Не все же ей дома в бардаке сидеть.

Подобное расположение было со стороны бабушки большой редкостью, и в такие моменты я всегда наслаждался покоем. Наслаждался бы и теперь, но аттракционы не выходили из головы. Я оглядывался по сторонам и с ужасом думал, что завел бабушку в какой-то не тот парк, а тот, который был нужен, остался в стороне и теперь мы никогда не попадем в него, потому что уговорить бабушку второй раз конечно же не получится. В отчаянии я поднял взгляд высоко вверх и увидел то, чего по непонятной причине не увидел сразу, — огромное колесо, похожее на велосипедное, высилось из-за деревьев. Оно медленно вращалось, и расположенные по его ободу кабинки совершали круг, поднимая желающих высоко вверх и опуская их вниз. В сторону колеса указывала прибитая к дереву фанерная стрелка, на которой было написано «Большое колесо обозрения». Само собой, я сразу захотел все кругом обозреть и, хотя кабинки, поднимавшиеся, казалось, до самых облаков, выглядели страшновато, сказал бабушке:

— Пойдем на это скорее, пойдем! Это колесо обозрения. Оттуда все видно.

Бабушка с опаской посмотрела вверх и твердо сказала:

— Идиот, там вниз головой. Туда нужна справка от врача, а тебе с твоим повышенным внутричерепным давлением никто ее не даст. Понял?

И мы пошли дальше.

В парке было очень красиво, но красотой этой наслаждалась только бабушка, я же ничего не видел, кроме американских горок, показавшихся впереди. Веселое улюлюканье катающихся и грохот вагончиков на виражах оглушили нас, когда мы подошли ближе, но прежде чем сказать бабушке, что я очень хочу на этих горках покататься, я внимательно посмотрел, нет ли там какого-нибудь хитрого поворота, который проезжают вниз головой. Поворота такого не оказалось. Справок от врача на контроле тоже не предъявляли, поэтому с мыслью: «Эх, прокачусь!» — я смело сказал бабушке:

— Давай на этом!

— Еще чего! — отрезала бабушка.

— Но ведь здесь же не вниз головой.

— Зато отсюда вперед ногами!

Очкастый мужчина с козлиной бородкой, стоявший перед нами, обернулся и задорно, чуть ли не заигрывая с бабушкой, сказал:

— Да ты что, мать, не бойся! Сажай внука, сама садись и езжай. Сколько людей каталось, никого еще вперед ногами ни-ни!

— Так чтоб вас первого. Пошли, Саша.

Мужчина опешил. Веселость слетела с него, как сорванный ветром лист, а когда мы отошли, я обернулся, и мне показалось, что он продавал билет.

Следующим аттракционом, о котором я подумал: «Эх, прокачусь!», были автомобильчики. О них я мечтал больше всего! И хотя «вниз головой» там можно было только при очень большом желании, а других противопоказаний я, как ни искал, все равно не нашел, прокатиться мне не удалось.

— Идиот, — сказала бабушка. — Они сталкиваются так, что люди себе все отбивают. Видишь, бабка орет? Ей отбили почки.

«Бедная», — подумал я.

Попасть на цепную карусель мне не удалось тоже. По мнению бабушки, я мог выскользнуть из-под ремней и улететь к какой-то матери. К какой, я не понял, но не к своей — это точно.

Печальный, шел я с бабушкой по дорожкам парка. Мы зашли в глушь. Аттракционов там не было, были разные застекленные «Незабудки», «Сюрпризы», «Гуцулочки» и тому подобные сооружения с красивыми названиями. Возле них распивали алкоголики.

— Так ни на чем и не прокатились... — грустно подытожил я. — Я так хотел... И ни разу... Ни на чем... Зачем же мы шли сюда, баба?

— А я тебе говорила, что незачем! Но ты же ишак упрямый, заладил — «па-арк, па-арк». Ну посмотри вокруг. Кто сюда ходит?

— Граждане посетители, — монотонно забубнил из репродуктора гнусавый голос, — приглашаем вас совершить лодочную прогулку. Стоимость проката лодки тридцать копеек в час.

В душе моей зажглась искра надежды.

— Баба, давай!

— Потонем к черту, пошли отсюда.

На этот раз я даже не успел подумать: «Эх, прокачусь!»

«Все! Вот я в парке, столько мечтал об этом, столько ждал этого и вот... «прокатился» и на том, и на этом», — отчаявшись, думал я.

— Хочешь мороженое? — вывел меня из печальной задумчивости голос бабушки.

— Да!

Я развеселился. Мороженое я никогда не ел. Бабушка часто покупала себе эскимо или «Лакомку», но запрещала мне даже лизнуть и позволяла только попробовать ломкую шоколадку глазури при условии, что я сразу запью ее горячим чаем. Неужели я сейчас, как все, сяду на скамейку, закину ногу на ногу и съем целое мороженое? Не может быть! Я съем его, вытру губы и брошу бумажку в урну. Как здорово!

Бабушка купила два эскимо. Я уже протянул было руку, но она положила одно из них в сумку, а другое развернула и надкусила.

— Я тебе дома с чаем дам, а то опять месяц прогниешь, — сказала она, села на скамейку, закинула ногу на ногу, съела эскимо, вытерла губы и бросила бумажку в урну.

— Здорово! — одобрила она съеденное мороженое. — Пошли.

— Пошли, — сказал я и поплелся следом. — А ты точно дашь мне дома мороженое?

— А зачем я тогда тащу его в сумке? — ответила бабушка так, словно в сумке у нее было не мороженое, а пара кирпичей. — Конечно, дам!

«Ну тогда еще ничего...» — подумал я про свою жизнь, а когда увидел зал игровых автоматов, услышал оттуда «пики-пики-трах» и узнал, что бабушка согласна зайти и дать мне пятнашек поиграть, решил, что жизнь эта вновь прекрасна.

Я радостно взбежал по ступенькам в зал и тут же, споткнувшись об верхнюю, растянулся на полу, боднув головой «Подводную охоту».

— Вот ведь калека! — услышал я сзади голос бабушки. — Ноги не оттуда выросли, — добавила она и, споткнувшись об ту же ступеньку, обняла, чтобы не упасть, «Морской бой».

— Поставили кривой порог, сволочи, чтоб им всю жизнь спотыкаться! Пойдем, Сашенька, отсюда!

— Как? Так уходить из парка? Ни на чем не покатавшись и не сыграв даже? Ну пожалуйста, баба! — взмолился я.

— Ладно, сыграй. Только быстро. Скоро гицель старый вернется с рыбалки, жрать захочет. Давай один раз — и пошли.

Один раз — это было обидно, но лучше, чем ничего. Я взял пятнашку, подошел к автомату «Спасение на море» и стал вникать в написанные на квадратной металлической пластине правила. Правила были просты: пользуясь ручками «вверх-вниз» и «скорость», надо было спасать вертолетом терпящих в море бедствие людей. Кого-то снимать с бревна, кого-то с маяка и так далее. За каждого снятого — очко. Между ручками был счетчик. Я опустил пятнашку и стал играть, а так как по причине своего маленького роста не мог видеть экран, где были вертолет и ожидающие моей помощи люди, то решил, что для усложнения задачи спасать надо наугад, вслепую. То и дело из автомата неслись жуткие завывания и грохот.

— Куда ты на скалы летишь! — кричала бабушка, глядя поверх моей головы. — Этого снимай, со льдины! Ниже бери, кретин!

— Что ты мне советуешь? Я сам знаю, что делать, — отвечал я, считая, что понимаю в спасении на море больше бабушки, и деловито дергая рычаги. Но отсутствие очков на счетчике и крики, что из меня вертолетчик, как из дерьма пуля, заставили в конце концов насторожиться. Я проследил за бабушкиным взглядом и все понял...

Рядом с автоматом стояла скамеечка, специально припасенная для таких низкорослых, как я. Встав на нее, я увидел море, скалы, вертолет и терпящих бедствие. Я потянул за ручку, и вертолет послушно начал набирать высоту. Но вдруг экран погас — мое время кончилось.

— Все, пойдем, — сказала бабушка.

— Еще разочек, я ведь и не поиграл толком! Так никого и не спас! — стал я ее упрашивать.

— Пойдем. Хватит.

— Ну еще один раз, и все! Только спасу кого-нибудь!

— Пойдем, а то сейчас дам так, что никто не спасет!

И мне пришлось идти. Теперь мы уже, не останавливаясь, шли прямо к выходу. Моя мечта сходить в парк сбылась, но что из этого... Настроение у меня было ужасное. С улыбками проходили мимо люди и, глядя на меня, недоумевали: второй такой унылой физиономии не нашлось бы во всем парке.

Пока мы ехали домой, я был как грустная сомнамбула, но около самого подъезда вспомнил вдруг про мороженое, которое купила мне бабушка, и настроение у меня резко улучшилось. С нетерпением глядя на бабушкину сумку, я переступил порог квартиры.

«Только бы она не передумала! — мелькнула у меня мысль. — Она обещала!»

И она не передумала.

— Саша! — донесся из кухни ее голос. — Иди, мороженое дам.

Я вбежал в кухню. Бабушка открыла сумку, заглянула в нее и сказала:

— Будь ты проклят со своим мороженым, сволочь ненавистная...

Я тоже заглянул в сумку, увидел там большую белую лужу и заплакал.

Вечером вернувшийся с рыбалки дедушка открыл дверь своим ключом, тихо вошел в квартиру и, довольный, поставил на пол садок с тремя лещами. Из кухни доносились крики. Дедушка прислушался.

— ...все документы размокли, все деньги! На полчасика! Вот же тварь избалованная! Сашенька то хочет, Сашенька это хочет! По Сашеньке могила плачет, а ему все неймется.

Я твои анализы видела, кладбище — вот твой парк!

— Что такое, Нина? — спросил дедушка из коридора.

— Пошел знаешь куда!

Дедушка закрыл дверь, сбросил с плеча рюкзак и, не раздеваясь, лег на диван лицом в подушку.

ДЕНЬ РОЖДЕНИЯ

Как мне исполнилось восемь лет и как девять, я не помню. Помню только, как исполнилось семь и четыре.

— У тебя сегодня день рождения, — сказала бабушка, лежа на диване и почесывая полосу, натертую на бедре резинкой салатового цвета трико.

Я удивился и спросил, что это значит. Бабушка объяснила, что теперь мне не шесть лет, а семь. Про дни рождения, в которые мне исполнялось пять и шесть лет, бабушка забывала сказать, и я все время думал, что день рождения — это такой праздник, а возраст не имеет к нему никакого отношения. Оказалось, наоборот, к дню рождения не имеет никакого отношения праздник.

То, что день рождения — это праздник, я решил в далеком прошлом, когда еще жил с мамой и она увезла меня в город Сочи. Помню, я сидел в такси и с любопытством смотрел, как малознакомая тогда бабушка хватает маму за руку и не дает ей сесть в машину. А мама кричала, что у нее уже выжили из дома одного мужа и она не хочет опять просить деньги на чулки и ходить в идиотках. Потом мама вырвалась, и мы поехали. Бабушка бежала за такси с криком: «Будь ты проклята небом, Богом и землей!..», а я думал, что надо помахать ей, и махал, полуобернувшись, через заднее стекло.

Потом мы ехали в поезде и смотрели в окно. Мама держала меня на руках, и я удивлялся, что она вдруг так выросла — дома головой до потолка не доставала, а в поезде стала вдруг доставать. Потом помню какой-то дом с картинами и коренастого дядьку с красным лицом, который лез меня обнимать и называл Сашухой. Я спросил у мамы, чего этот дядька от меня хочет, а она объяснила, что это дядя Толя, к которому мы приехали.

Дядя Толя мне сначала не понравился. Он все время приставал ко мне и, кажется, очень хотел показать, как меня любит. Но потом, видно, забыл про это, стал смешить маму, а заодно меня, и я подумал, что вообще с ним довольно весело. Мы ели втроем в кафе, гуляли по набережной, и тут выяснилось, что у меня день рождения. Дядя Толя сказал, что этот праздник надо отметить, и повел меня смотреть корабль. Огромный, больше нашего дома, корабль стоял на причале, и дядя Толя договорился, чтобы нас пустили внутрь. Мама осталась ждать на берегу, и я боялся, что пока мы будем плутать по длинным, покрытым коврами коридорам и смотреть каюты, корабль незаметно отчалит, уплывет в море, а мама потеряется. От страха мне было неинтересно, я ничего толком не видел и все ждал, когда мы выйдем наружу. После корабля мы смотрели буксир, и там уже было не страшно. Маленький буксир не мог отчалить незаметно, и если что, я сразу успел бы выскочить на палубу. Матросы на буксире угостили меня воблой, потом оказалось, что дядя Толя знаком с капитаном, и по случаю моего дня рождения капитан прокатил нас троих по всему порту. Вот это было действительно здорово!

А потом мы гуляли в парке. В черной теплой ночи весело светились развешанные по пальмам разноцветные лампочки, шумел далекий прибой, а прямо перед нами кружилась огромная, освещенная огнями карусель. Мы купили три билета и понеслись на ней друг за другом. Впереди хохотала мама, сзади свистел и улюлюкал дядя Толя, а я, вцепившись в цепочки, орал, замирая от восторженного ужаса. Под ногами мелькала земля, лампочки вились вокруг яркими светящимися нитями, и ветер в лицо не давал вылететь изо рта моему крику, загоняя его обратно.

Дома дядя Толя поставил на стол торт с четырьмя свечами и сказал, что я должен их задуть. Задувать было жалко. Свечи были разноцветные и напоминали о парке, в котором мы гуляли, но дядя Толя объяснил, что так положено. Я задул, и мы пили с тортом чай. Потом я нарисовал пальцем на запотевшем окне рыбу. Вышло непохоже. Дядя Толя засмеялся, пририсовал к моей рыбе еще несколько черточек, плавники, и она вдруг стала как настоящая. Еще мы нарисовали на том окне корабль и машину, а на другом дядя Толя нарисовал мою маму. Рисунок был очень простой, я пытался потом повторить его, но вместо мамы у меня получались какие-то путаные кривые.

После чая дядя Толя лег в ванну, а мама села на ее край и с ним разговаривала. Мне стало скучно, и я пошел к ним. Я запускал в ванне мыльницы, а дядя Толя высовывал из воды руку и топил их, изображая подводную лодку. Потом он показал, как взрывается глубинная бомба, и плеснул так, что забрызгал маму, которой пришлось переодеться в его тельняшку. Мама сказала, что она теперь боцман и будет свистать нас наверх. Свистать она нас не стала, и вместо этого мы легли спать в большую кровать. Я прижимался к маме и думал, что завтра тоже будет день рождения, и, может, еще веселее сегодняшнего.

А утром оказалось, что дядя Толя заболел. Он не мог встать, не шутил и не смеялся. Весь день он лежал в постели, и мы из-за него никуда не могли пойти. Хорошо еще, он подарил мне гоночную машинку, и мне хоть было чем поиграть. Вечером мы опять сели с мамой на поезд и поехали в Москву. Мама сказала, что оставит меня на несколько дней бабушке и вернется к дяде Толе. Я не хотел с ней расставаться и плакал, но она сказала:

— Ты здоров, и с тобой будет бабушка, а он болен и совсем один. Разве тебе его не жалко?

Дядю Толю мне было жалко, но расставаться с мамой было от этого не легче. Если бы не машинка, дядя Толя совсем уже стерся бы у меня из памяти, и я подумал, что, может быть, к утру мама тоже про него забудет и останется со мной. Но к утру я сам заболел, и все стало мне безразлично. Мама оставила меня больного у бабушки, а когда я поправился, мне сказали, что теперь я буду жить с ней всегда.

С тех пор мне казалось, что другой жизни не было, не могло быть и никогда не будет. Центром этой жизни была бабушка, и очень редко появлялась в ней с бабушкиного согласия мама. Я привык к этому и не думал, что может быть иначе. А Сочи, ночь с разноцветными лампочками и торт со свечами остались в памяти как приятный, но совсем уже забытый сон. В этом сне было еще что-то страшное — цирк, какая-то ссора, во время которой я задыхался и очень плакал, но что именно произошло, почему я плакал, я не помнил и не вспоминал. Было незачем.

Бабушка объяснила мне, что дядя Толя — карлик-кровопийца, который хочет переехать в Москву и все у нас отобрать. Он хочет мамину и бабушкину квартиры, дедушкину машину, гараж и все наши вещи. Для этого ему надо, чтобы мы все умерли. Смерти бабушки с дедушкой он не дождется, а меня он уже заразил стафилококком и почти погубил. Даже машинку он подарил мне черную с золотыми колесами, как катафалк. Машинку бабушка выбросила, сказав, что купит мне таких десять, но нормального цвета. Потом я в чем-то провинился, и она заявила, что если и купит их, то лишь затем, чтобы разломать на моей голове.

Я верил, что карлик-кровопийца хочет все у нас отобрать, но бабушка говорила, что не допустит этого, и я чувствовал себя как за крепостной стеной, которую карлику никогда не взять.

— Ничего ему не достанется, правда? — спрашивал я, чтобы лишний раз восхититься готовностью бабушки защитить меня и наши вещи.

— Ничего!

— Даже слоника маленького?

Маленького слоника я видел в буфете-саркофаге, и он показался мне такой диковиной, которую надо беречь от карлика в первую очередь.

— Даже слоника... Какого слоника?

— Да так, просто сказал... — вовремя замялся я. Бабушка предупреждала, что если я открою буфет, то останусь там навечно.

— И слоника, и бобика, и хрена с маслом! Она у меня шубу свою третий год забрать не может, куда им гараж с машиной. Хотя он рассчитывает, конечно! В Москву он уже перебрался, распишется с ней, получит прописку. Сволочь проклятая! Понимает: мы сдохнем — наследство тебе с этой идиоткой. А тебя не станет, все ей, а значит — ему. Ты ему как кость в горле, он только и ждет, чтоб ты загнулся. Ничего, подождет еще, я судиться буду.

Карлик-кровопийца давно уже виделся мне чуть ли не с ножом и в черной маске, и я боялся его, как самого настоящего убийцу. Незадолго до моего семилетия он переехал к маме и заявился к нам с ящиком крымского винограда. Узнав его голос, я забился под стол и ждал, что сейчас он оттолкнет с порога бабушку, схватит меня и задушит. Но бабушка была настороже.

— Виноград?! Я выбираю кости из рыбы! — закричала она, как сирена, повышая голос на каждой гласной, и карлика сдуло от нашей двери словно ураганным ветром. — Сволочь, с виноградом притащился, — сказала бабушка, задвигая засов. — Еще сорт выбрал, где костей побольше. Специально хочет, чтоб ты подавился.

Костей бабушка очень боялась и, когда я ел рыбу, действительно перебирала ее, сминая кусочки белого мяса пальцами до тех пор, пока не получались маленькие сероватые комки вроде фрикаделек. Комочки эти она раскладывала по краю тарелки, и я ел их с гречневой кашей и тертым яблоком. Ел я тоже с бабушкиной помощью. Заготовив бескостные комочки, бабушка зачерпывала из стоявшей передо мной тарелки гречневую кашу, клала один комочек в середину ложки, прикрывала все это с помощью другой ложки тертым яблоком и ложкой из-под яблока приглаживала сверху — наподобие уличного мороженщика. После этого я открывал рот, и она отправляла туда это многоэтажное сооружение, сопровождая закрытие моих губ странным движением своих. Казалось, она тоже ест вместе со мной, но только мысленно.

Когда содержимое ложки оказывалось у меня во рту, бабушка говорила:

— Жуй. Жуй, кому говорю!

— Я жую.

— Ни черта не жуешь! Заглатываешь, как было, ничего не усвоится. Амосов писал, что даже воду надо во рту задерживать, вот так смаковать... — Бабушка шамкала губами. —

А еду тем более жевать надо. Жуй! Жуй, чтоб ты подавился! Жуй, не глотай!

Одним из моих любимых развлечений было заставить бабушку кричать, а потом сразу показать ей, что кричит она напрасно. Однажды за рыбным кормлением я посмотрел на пакет молока и многозначительно произнес:

— Ем кость.

— Плюнь! Плюнь скорее, сволочь! Плюнь!

— Что плюнь?

— Кость!

— Да нет, — показал я на молоко, — я просто читаю. Ем кость один литр.

— Ёмкость, кретин! — подскочила на табурете бабушка, но повода для крика у нее не было. Я был в восторге от своей проделки!

В день рождения, про который бабушка сообщила, почесывая полосу, натертую резинкой трико, я тоже ел рыбу и гречку. И хотя я знал уже, что день рождения — это не праздник, мне подумалось, что под это дело можно заполучить на десерт какие-нибудь конфеты для врачей или, на худой конец, шоколадку.

— Тыц-пиздыц, шоколадку! Вчера ел уже, хватит.

— Но вчера просто так было, а сегодня день рождения.

— Ну и что?

— Отметили бы.

— Что отмечать? Жизнь уходит, что хорошего? Жуй.

После еды бабушка все же вручила мне крохотную шоколадку «Сказки Пушкина» и, дав в придачу таблетку от аллергии, отправила гулять во двор. Там со мной должна была встретиться мама.

С мамой я виделся редко. Последний раз это было больше месяца назад, когда налетел сильный, как буря, ветер. Я гулял, и ветер очень напугал меня. Двор из привычного стал вдруг чужим и грозным, деревья над головой страшно шумели, растрепанные картонки и мусор летали вокруг будто заколдованные, и хотя до дома было несколько шагов, я вдруг почувствовал себя потерянным, словно находился в лесу. Ветер трепал на мне одежду, сыпал в глаза пыль, а я топтался на месте, закрывая лицо ладонями, и не знал, что делать. Тут появилась мама. Она взяла меня за руку и повела в соседний подъезд к своей знакомой. Там мы сели на кухне и зажгли над столом маленькую лампу, уютную, как костер. Потерявший меня ветер терзал за окном деревья, вымещая на них обиду, а мы сидели и ели картофельное пюре. Пюре было необыкновенно вкусным, я быстро съел его, захотел еще и стал топтать вилкой в маминой тарелке, поясняя, что пюре плохо размято. Нажав раза три, я слизывал то, что оставалось между зубцами, и мял снова. Поняв мою хитрость, мама засмеялась и отложила мне из своей тарелки половину. Мы сидели на кухне, пока не утих ветер, а потом мама отвела меня домой. Дома я сказал бабушке, что мама спасла меня от бури, и действительно так думал.

Редкие встречи с мамой были самыми радостными событиями в моей жизни. Только с мамой было мне весело и хорошо. Только она рассказывала то, что действительно было интересно слушать, и одна она дарила мне то, что действительно нравилось иметь. Бабушка с дедушкой покупали ненавистные колготки и фланелевые рубашки. Все игрушки, которые у меня были, подарила мама. Бабушка ругала ее за это и говорила, что все выбросит.

Мама ничего не запрещала. Когда мы гуляли с ней, я рассказал, как пытался залезть на дерево, но испугался и не смог. Я знал, что маме это будет интересно, но не думал, что она предложит попробовать еще раз и даже будет смотреть, как я лезу, подбадривая снизу и советуя, за какую ветку лучше взяться. Лезть при маме было не страшно, и я забрался на ту же высоту, на какую забирались обычно Борька и другие ребята.

Мама всегда смеялась над моими страхами, не разделяя ни одного. А боялся я многого. Я боялся примет; боялся, что, когда я корчу рожу, кто-нибудь меня напугает и я так и останусь; боялся спичек, потому что на них ядовитая сера. Один раз я прошелся задом наперед и боялся потом целую неделю, потому что бабушка сказала: «Кто ходит задом, у того мать умрет». По этой же причине я боялся перепутать тапочки и надеть правый тапок на левую ногу. Еще я увидел в подвале незакрытый кран, из которого текла вода, и стал бояться скорого наводнения. О наводнении я говорил лифтершам, убеждал их, что кран надо немедленно закрыть, но они не понимали и только глупо переглядывались.

Мама объясняла, что все мои страхи напрасны. Она говорила, что вода в подвале утечет по трубам, что задом наперед я могу ходить сколько угодно, что приметы сбываются только хорошие. Она даже специально грызла спичку, показывая, что головка серы не так уж ядовита. Я слушал с восторженным недоверием и смотрел на маму, как на фокусника. Мудреное слово «инакомыслие», прозвучавшее как-то по телевизору, подходило к ее речам как нельзя лучше. Теперь, гуляя по двору, я ждал услышать, что скажет она на утверждение бабушки, будто на свете есть Бог, который видит все мои издевательства и карает меня за них болезнями.

Мама появилась во дворе только к вечеру. Она села на скамейку, а я к ней на колени. Хотелось обнять ее и прижаться изо всех сил. Я сделал это, но желание все равно осталось.

Я знал, что оно останется, сколько ни прижимайся, прижался еще раз, и мы стали разговаривать. Мама сказала, что купила мне в подарок железную дорогу, но передаст ее дедушка, чтобы бабушка подумала, будто это от него, и ничего с ней не сделала. Я спросил, как железная дорога выглядит, мама описала ее, а потом я сказал, что боюсь Бога.

— Что ж ты трусишка такой, всего боишься? — спросила мама, глядя на меня с веселым удивлением. — Бога теперь выдумал. Бабушка, что ли, настращала опять?

Я рассказал, как появился у меня этот страх, и мама объяснила, что есть Бог или нет, никто не знает, а если и есть, бояться мне нечего, потому что я ребенок. Ребенка Бог карать ни за что не станет.

Мы встали со скамейки. Я шел с мамой и думал, что рядом с ней не боялся бы ничего и никогда. Никогда, никогда не было бы мне возле нее страшно. И тут я испугался так, что прирос к земле...

Прямо на нас вышел из-за угла карлик-кровопийца. Это был он, я сразу узнал его, и в горле у меня пересохло.

— А я полчаса хожу вас ищу, — сказал карлик, зловеще улыбнувшись, и протянул ко мне страшные руки.

— Сашуха, с днем рождения! — крикнул он и схватив меня за голову, поднял в воздух!

Подобного ужаса я еще не испытывал. Если я не бросился бежать, то лишь потому, что, очутившись вновь на земле, не мог сдвинуться с места. Так во сне нельзя убежать от надвигающегося поезда или ножа. Не помню, как мы попрощались, как я попал домой. Помню, что, только увидев бабушку, я облегченно вздохнул и почувствовал, как поджавшееся сердце успокоенно опускается на привычное место — спасся...

— Сволочь, за голову схватил! — говорила потом бабушка. — В шее вилочка и палочка вот так соединены. — Бабушка показала пальцами как. — У ребенка кости тонкие, палочка из вилочки выскочит, еле-еле повернуть надо. А выскочит — конец. Я тебе говорила, чтобы ты бегом от него бежал, если увидишь? Говорила? Так ты к моим словам относишься? Ну ничего... Бог тебя покарает за это!

— А Бог детей не карает, — неуверенно сказал я.

— Покарает, когда вырастешь. Хотя ты и вырасти не успеешь, сгниешь годам к шестнадцати. И знай: еще раз она сюда с ним припрется, вообще больше не увидитесь. Не думай, что я этого сделать не могу. Могу еще как! Понял? Так и запомни!

Я запомнил и долго боялся потом и Бога, и того, что сгнию, но больше всего — ужасного карлика, из-за которого мог не увидеться с мамой.

ЖЕЛЕЗНОВОДСК

Хотя мне исполнилось семь лет, в школу бабушка решила меня пока не отдавать. Читать, писать печатными буквами и считать до двенадцати я умел и так, а рисковать моей жизнью ради арифметики и прописных букв бабушка считала лишним.

— На год позже пойдешь, — говорила она. — Куда тебя сейчас, падаль, в школу. Там на переменах бегают такие битюги, что пол ходуном ходит. Убьют и не заметят. Окрепнешь немного, тогда пойдешь.

Бабушка была права. Через год, когда я пошел в школу, мне пришлось подивиться ее проницательности. На перемене я столкнулся со средних размеров битюгом. Битюг ничего не заметил и побежал дальше, а я улетел под подоконник и затих. Спиной я ударился о батарею, и дыхание мое, казалось, прилипло к ее массивным чугунным ребрам. Несколько секунд я не мог вдохнуть и сгустившуюся перед глазами красноватую серость с ужасом принял

92

за смертную пелену. Пелена рассеялась, и вместо скелета с косой надо мной склонилась учительница.

— Добегался? — участливо спросила она, поднимая меня. — Правильно бабушка твоя просила запирать тебя на переменах в классе. Теперь так и буду делать.

С того дня я каждую перемену сидел в запертом классе и вспоминал бабушку, которая хотела, чтобы я перед школой окреп. Наверное, если бы я пошел учиться с семи лет, неокрепшим, она по сей день привязывала бы к той батарее букетики цветов, как привязывают их к дорожным столбам родственники разбившихся шоферов. Но я пошел с восьми, успел окрепнуть, и все обошлось. Из этого рассказа вы узнаете, как бабушка меня укрепляла.

Вскоре после моего семилетия дедушка положил перед бабушкой белый конверт.

— Что это?

— Путевка, — ответил дедушка, и на лице его расцвело ожидание похвалы.

— Какая?

— Саше в санаторий. В Железноводск.

— Ты что, идиот? — ледяным голосом осведомилась бабушка, и ожидание похвалы на дедушкином лице увяло, как забытая в холодильнике петрушка.

— Наказал Бог с кретином жить, живи — терпи. Но тебя терпеть, Сенечка, лучше удавиться, — заговорила бабушка, объясняя дедушкину ошибку. — Кто там за этим уродом следить будет? Там врачи, кроме ОРЗ и геморроя, никаких диагнозов не знают. Куда им ребенка-калеку? Климат тот ему не подходит, лекарств там, каких надо, нету... А, что говорить? Тебе все равно. Тебе лишь бы показать: «Вот, Нина, я сделал!» Сам сделал, падите ниц! Ну так сунь себе эту путевку куда-нибудь на весь срок, что там указан.

Совать путевку дедушка никуда не стал и вместо этого предложил купить еще одну для бабушки. Взрослый санаторий был рядом с детским, и бабушка могла бы лично следить за моим отдыхом, давать нужные лекарства и просвещать железноводских врачей в области диагнозов. Эта идея бабушке понравилась, путевку купили, и начались сборы.

Первым делом бабушка заказала в прачечной ярлычки с моей фамилией и стала пришивать их ко всем моим вещам, чтобы нянечкам и сестрам санатория не вздумалось унести своим вонючим детям колготки и рубашки, заработанные дедушкиным потом и бабушкиной кровью. На носки ярлычков не хватило, и на каждом из них пришлось вышивать фамилию отдельными буквами.

— Мать твоя тебе не вышивает, чтоб ей саван могильный вышили! — приговаривала бабушка, укладывая крупные стежки белой нитки так, чтобы они образовывали букву С. — Я до колик в глазах шью. На, клади в чемодан...

Когда с носками было покончено и все они, свернутые в клубочки, были уложены с другими вещами, бабушка начала собирать лекарства. Среди тех, что я помню, были: шесть коробочек гомеопатических шариков, которые я должен был принимать через каждые три часа; колларгол, альбуцид и оливковое масло, которые нужно было капать мне в нос дважды в день в указанной последовательности; мексаформ, панзинорм и эссенциале, которые я принимал за едой; супрастин — на случай аллергии; порошки Звягинцевой — на случай астматического компонента; и банка сока алоэ с медом для общей пользы. Банка эта в пакет с лекарствами не поместилась, и бабушка перед самым отъездом положила ее в сумку с вареной курицей.

На вокзал мы приехали за полчаса до отправления поезда. Бабушка, помахивая сумкой с курицей, шла впереди, я за ней, дедушка, который пошел нас провожать и тащил чемоданы, плелся сзади.

— Ни табло нормального нет, ничего, — сетовала бабушка. — Какой путь, черт его знает.

— Вон, Нина, пятый, — сказал дедушка, кивая на огромное табло, где зелеными огоньками был высвечен номер пути, с которого отправлялся наш поезд.

— Точно? Подожди, пойду спрошу. Держи, Саша.

Думая, что я рядом, бабушка не глядя отвела назад руку и выпустила сумку. Я стоял в нескольких шагах и успел подхватить ее только печальным взглядом — сумка брякнулась о гранитные плиты вокзального пола, и сквозь ее полотняные бока стала просачиваться густая жидкость.

«Это не из курицы, — подумал я, — это разбилась банка алоэ с медом».

— Будьте вы трижды прокляты! — затянула бабушка, поднимая сумку и заглядывая внутрь. — Вдребезги, — подытожила она и пошла вытряхивать осколки в урну. На полу осталась большая золотистая лужа.

— Тю-тю баночка, — заговорщицки подмигнул мне дедушка и заулыбался.

Когда дедушка занес чемоданы в наше двухместное купе, вышел из поезда и с перрона стал умиляться нами через окно, бабушка достала из злополучной сумки курицу и, положив ее на стол, начала изучать:

— Осколки... Так и знала... Сенечка, в курице осколки!

Двойные стекла вагонного окна не пустили бабушкин голос до слабого дедушкиного слуха, и дедушка ничего не понял.

— А?! — приложил он руку к уху.

— Осколки! Вся курица в осколках!

— Что?

— Курица в осколках от банки!

— А?!

— Глухое бревно! В курице осколки!

— Не слышу!

— Осколки!!! Нельзя есть!!!

Дедушка беспомощно развел руками. Бабушка, решившая, видно, что за оставшуюся до отправления поезда минуту она непременно должна втолковать про курицу, прибегла к пантомиме.

— Банка! — крикнула она, сложив руки в замок так, чтобы получилось нечто округлое. — Бах! Разбилась! — пояснила она, хватив этим округлым об стекло. — Осколки! Осколки! — Изображая осколки, бабушка стала тыкать щепотью в протянутую ладонь.

— Нормально доедете! — отмахнулся дедушка, который, как потом выяснилось, подумал, что бабушка боится крушения. — Ни пуха!

— К черту!

— А?!

Поезд тронулся.

— Вот и поели, — сказала бабушка, заворачивая курицу в бумагу. — Вся в стекле. Придется одни бутерброды жрать. Ты голодный?

— Нет еще.

— Давай тогда гомеопатию выпьем.

Бабушка вышла, похоронила мурашечное тело курицы в мусорном ящике и, вернувшись, достала из чемодана пакет с лекарствами. Коробочки с гомеопатией, чтобы не открывались, были туго стянуты вместе резинкой для волос. Бабушка стала снимать резинку, сделала неловкое движение, и произошло ужасное — коробочки выскочили у нее из рук, по полу запрыгала масса белых шариков...

Я очень боялся бабушкиных проклятий, когда был их причиной. Они обрушивались на меня, я чувствовал их всем телом — хотелось закрыть голову руками и бежать, как от страшной стихии. Когда же причиной проклятий была оплошность самой бабушки, я взирал на них словно из укрытия. Они были для меня зверем в клетке, лавиной по телевизору. Я не боялся и только с трепетом любовался их бушующей мощью.

Лавина, обрушившаяся в купе, была громадна. Она зародилась, когда бабушка уронила сумку, чудом удержалась, когда в курице обнаружились осколки, и теперь сошла во всем своем великолепии. Что это были за проклятия! Стук колес звучал за ними, как тиканье часов! Какое счастье, что не я рассыпал гомеопатию!

Когда плафон на потолке погас и купе осветилось мрачным светом серо-голубого ночника, бабушка уложила меня спать. Она велела мне лечь ногами к окну, чтобы не надуло в голову, а чтобы не надуло в ноги, закутала их вторым одеялом. Спал я плохо. Всю ночь на меня катились огромные железные шары и колеса. Они соударялись, сталкивались надо мной со страшным грохотом, я бегал между ними, боясь быть раздавленным, и просыпался, когда некуда было бежать. Проснувшись в очередной раз, я заметил, что уже утро.

Бабушка сидела за столиком и чистила крутое яйцо. В стакане с чаем дребезжала ложечка. На развернутом целлофане лежали бутерброды с сыром. Я вспомнил, что мы едем в Железноводск на летний отдых, и обрадовался.

— В туалет хочешь? — спросила бабушка. — Пойдем. Я тебе открою дверь. Не берись за ручки, тут везде инфекция.

Бабушка открыла дверь туалета, закрыла ее за мной, подержала, чтобы никто не вошел, и потом снова открыла. Спустить воду она разрешила мне самому, потому что педаль нажималась ногой, а подошвы ботинок инфекции не боялись. Жать на педаль мне очень понравилось, но бабушка не дала мне позаниматься этим вволю и повела в купе протирать руки смоченным одеколоном полотенцем — мылом в туалете пользуются всякие цыгане, а у них и грибок на руках, и все что хочешь. Потом мы сели завтракать.

Я ел очищенное бабушкой яйцо, запивал его сладким чаем и скучал. Делать в купе было нечего, смотреть в окно надоело. Бабушка пошла относить проводнику стаканы. И тут словно молния сверкнула у меня в голове — педаль!!!

Я выглянул в коридор и, убедившись, что бабушки не видно, направился в туалет. «Я быстро... Пока она не вернулась... — думал я. — Туда и сразу обратно...»

Около двери, отделявшей меня от заветной педали, я встал как вкопанный. ИНФЕКЦИЯ!!! С почтительным страхом всмотрелся я в тусклый металл дверной ручки — казалось, слово «инфекция» написано на ней невидимыми, но грозными буквами. Как быть? Рубашка моя была с длинными рукавами. Я выставил вперед локоть и, стараясь касаться самым его кончиком, надавил на ручку. Дверь открылась. Я закрыл ее за собой, толкнув ногой, и с увлечением принялся жать на педаль.

Это было здорово! Блестящая крышка убиралась вниз, под круглым отверстием мелькали шпалы, туалет наполнялся звонким грохотом, который медленно нарастал, если нажимать на педаль плавно, а если стучать по ней, залетал отрывками, напоминавшими какие-то отчаянные выкрики. Шпалы сливались в сплошное мельтешение, но иногда удавалось зацепиться за одну из них взглядом, и тогда они словно на миг останавливались. Можно было даже рассмотреть между ними отдельные камни.

Я отрывал кусочки туалетной бумаги, мял их и бросал в отверстие, представляя, что это врачи, которых я казню за приписанные мне болезни.

— Но послушай, послушай, у тебя же золотистый стафилококк! — жалобно кричал врач.

— Ах, стафилококк! — зловеще отвечал я и, скомкав врача поплотнее, отправлял его в унитаз.

— Оставь меня! У тебя пристеночный гайморит! Только я могу его вылечить!

— Вылечить? Вылечить ты уже не сможешь...

— А-а! — вопил врач, улетая под колеса поезда.

Казнив полрулона врачей и получив от педали все мыслимые удовольствия, я вспомнил, что пора в купе. Дверь туалета открывалась внутрь, поэтому выйти, нажимая на ручку локтем, оказалось гораздо труднее, чем войти. Нужно было не просто нажать, а еще каким-то образом потянуть на себя. Несколько раз мне почти удалось открыть дверь, но в последний момент локоть подло соскакивал, и замок защелкивался снова. Бабушка, по моим расчетам, вот-вот должна была вернуться. Передохнув секунду, я собрался, аккуратно установил на ручке локоть, осторожно нажал и, уловив момент, когда язычок замка исчез из щели, рванулся изо всех сил. Дверь распахнулась, я потерял равновесие и полетел на пол. Навзничь в самую-самую инфекцию! А в дверях стояла и смотрела на меня бабушка...

— Мразь!!! — заорала она. — Вставай немедленно или я тебя затопчу ногами!!!

Я встал и, ежась от холода намокшей на спине рубашки, подошел к бабушке. Она схватила меня за воротник и потащила в купе.

— Какой негодяй! — приговаривала она. — Весь в ссанье! Что ты потащился туда?

— Пописать...

— Чтоб ты пописал последний раз в своей жизни! Надо было меня подождать! Там же никто ничего не дезинфицирует! Там и глисты, и дизентерия, и все что угодно! Сдохнешь, не поймут от чего даже! Снимай все с себя! Чтоб тебе руки выкрутило, как ты мне душу выкручиваешь! Снимай все скорее!

Когда я разделся, бабушка заперла дверь купе и, налив на полотенце одеколон, протерла меня с ног до головы. Потом она переодела меня в чистое, а промокшую одежду со словами: «Тебя бы, суку, по магазинам погонять!» — положила в отдельный целлофановый пакет, чтобы потом отстирать. Из купе она уже не выходила до самого Железноводска.

В Железноводск мы приехали к вечеру. Нас встречали. У выхода из вокзала стоял маленький желтый автобус с табличкой «Санаторий "Дубровка"» на лобовом стекле. В автобусе сидели уже много ребят, и я поскорее устроился на свободном месте около окна, чтобы припасть к стеклу и никого не замечать. Я никогда не встречал так много ребят сразу, и мне казалось, что все они как-то особенно на меня смотрят. Успокоился я, только когда бабушка уселась рядом и отгородила меня от чужих глаз. Тогда я оторвался от окна, в которое напряженно пялился, ничего перед собой не видя, и украдкой стал сам рассматривать своих будущих приятелей. «Кто-то из них будет мой друг...» — думал я и так волновался, что не мог никого разглядеть — лица сливались в сплошную незнакомую массу, с которой, казалось, никогда не удастся сойтись и подружиться. Заметил я только, что все ребята выглядели на два-три года меня старше.

Началась перекличка. Полная, в коричневой кофте женщина, которая потом оказалась нашей воспитательницей, читала по списку фамилии, а мы должны были отвечать «здесь». Я приготовился вовремя ответить и на всякий случай сглотнул несколько раз слюну, чтобы голос у меня не сорвался от волнения.

— Заварзин.

— Здесь.

— Жукова.

— Здесь.

— Лордкипанидзе.

«Ничего себе!» — подумал я и, забыв про волнение, повернулся посмотреть, у кого же окажется такая необычная фамилия. Никто не отвечал.

— Лордкипанидзе!

— Здэс, — послышалось из дальнего конца автобуса. — Я нэ слышал.

Лордкипанидзе мне не понравился сразу. Мало того что у него была такая фамилия, он еще и объяснял, что не слышал, вместо того чтобы просто ответить «здесь». Это показалось мне верхом неприличия. «Тоже мне, Лорд! — подумал я. — Кипанидзе...»

— Куранов.

— Здесь, — ответил толстый мальчик, сидевший впереди меня.

Он один был моего возраста, и, еще раз подумав, кто же будет мой друг, я посмотрел на него внимательнее — уж не он ли?

— Савельев.

Я опять сглотнул слюну. Назвали мою фамилию — надо было отвечать!

— Здесь мы, здесь, — ответила бабушка.

Я даже не успел открыть рот...

Никогда не мог я смириться с бабушкиной манерой отвечать за меня всегда и везде! Если бабушкины знакомые спрашивали во дворе, как у меня дела, бабушка, не глядя в мою сторону, отвечала что-нибудь вроде: «Как сажа бела». Если на приеме у врача спрашивали мой возраст, отвечала бабушка, и не важно, что врач обращался ко мне, а бабушка сидела в дальнем конце кабинета. Она не перебивала меня, не делала страшных глаз, чтобы я молчал, просто успевала ответить на секунду раньше, и я никогда не мог ее опередить.

— Почему ты всегда за меня отвечаешь?! — спрашивал я.

— Так ты же будешь соображать полчаса! А у людей время дорого.

— Ну, я не успеваю. Хоть раз можешь подождать, чтобы я ответил?

— Отвечай, малохольный. Кто тебе не дает? — искренне удивлялась бабушка, и все оставалось по-прежнему.

Всякий раз, когда бабушка отвечала за меня, я сникал и на пару минут предавался грусти. На перекличке я опять уткнулся в окно и грустил, пока не тронулся автобус. Потом вспомнил, сколько интересного ждет меня впереди, и развеселился.

Воспитательница в коричневой кофте еще на перроне пообещала, что мне будет очень интересно.

— Там у нас и кино, и бильярд, и игры всякие, — сказала она, ласково ко мне наклонившись. — Кружок «Умелые руки» есть. Будете там лепить, вырезать, клеить. Знаешь, как тебе понравится!

И вот я представлял, как мы все, кто едет в автобусе, сидим в большой светлой комнате под яркими лампами и вырезаем, лепим, клеим... Себя лично я представлял вырезающим. Лепить я никогда не пробовал и знал только выражение «лепить горбатого к стенке», а клеить мне было совершенно неинтересно. Я думал, что клеят только разбитую посуду, и мысленно оставлял это занятие для Лордкипанидзе.

Когда мы приехали в санаторий, всех ребят повели в палаты, а нас с бабушкой воспитательница отвела к главному врачу. Бабушка сказала, что я не просто ребенок, который приехал отдыхать, а несчастный, брошенный матерью на шею стариков калека, нуждающийся в особом присмотре, и если бабушка не поговорит с главврачом лично, медсестры меня неминуемо загубят. Главный врач радушно откликнулась на бабушкино желание поговорить, мне велели посидеть в сторонке, и разговор начался:

— ...Я вам еще раз скажу, что в каком порядке... — долетало до меня. — Сначала кониум... Половину рассыпала, но пока хватит... Старик с поездом пришлет, я вам передам... Колларгол, альбуцид... оливковое масло от сухости, а то будет ковырять, кровь пойдет... это если совсем плохо...

— Да вы не волнуйтесь...

— Я не волнуюсь, я знаю, что говорю...

— Тут у нас все лекарства есть, все процедуры. Целый корпус лечебный...

— ...диета... Ни жареного, ни соленого... Колит, хронический панкреатит... делаю на сушках... Третий год... А она только раз в месяц припрется, пожрет — и на диван...

— ...Тут очень хорошо... Любые игры, кино, воспитатели прекрасные...

— Клеить ему не надо. Астма. Надышится, будет приступ... Порошок Звягинцевой... Гайморит хронический...

— Не волнуйтесь...

— Там в чемодане колпачок из полотенца, надевайте после ванной, и пусть спит в нем... Гайморит... Пристеночный гайморит!

«После ванной, — подумал я. — В самом деле, здесь меня тоже наверняка будут купать. Но как? Кто вместо бабушки будет вытирать меня на стульях? Будет ли здесь в ванной рефлектор?»

После купания бабушка заворачивала меня в плед и относила на плече в постель, рискованно пронося каждый раз мимо острого угла набитого конфетами для врачей холодильника. В постели она укрывала меня и, просунув руки под одеяло так, словно заряжала фотопленку, вытирала мне ноги между пальцами и подкладывала под рубашку носовые платки. Сквозь сон я чувствовал, как она всю ночь меня ощупывает, меняет влажные платки на сухие, когда я потею, и снова наматывает на голову полотенце, которое я сбрасываю. «Спи спокойно, не дрыгайся! — слышал я ее злой шепот. — Остынет голова — опять гнить будешь».

Спать спокойно у меня не получалось, и полотенце я сбрасывал по нескольку раз за ночь. Тогда бабушка сшила колпачок из махрового полотенца. Заколотый под горлом английской булавкой, он надежно держался и защищал мою голову от остывания.

«Кто же будет мне его закалывать? — думал я. — Неужели эта нянечка, которая моет шваброй пол? И положила ли бабушка булавку?»

— Я там булавочку воткнула, закалывайте на ночь получше, ерзает он, беспокойно спит, — словно в ответ на мои мысли донеслись бабушкины слова.

— Все сделаем, не волнуйтесь.

На этом бабушка с главврачом разошлись. Бабушка, на удивление легко со мной расставшись, отправилась во взрослый санаторий, который был через дорогу, а главврач взяла мой чемодан и повела меня в палату.

По пути я внимательно смотрел по сторонам, осваиваясь на новом месте. Корпус санатория оказался большим и белым. В коридоре светили лампы дневного света, которые отражались в глянце желто-зеленого линолеума на полу. Пахло хлоркой. Середина коридора расширялась в холл, где стояли огромный фикус с пожелтевшими и пыльными листьями, два дивана на колесиках, четыре, тоже на колесиках, кресла и черно-белый телевизор, который, как потом оказалось, показывал только первую программу. В конце коридора была игровая комната, или торцевая, как непонятно называла ее главврач. Там были настольные игры, кубики и прочая ерунда.

Палата оказалась четырехместной. Моими соседями стали Заварзин и Куранов. Они давно уже расположились и играли в шахматы, когда главврач представила им меня и сказала:

— Знакомьтесь, а я пойду найду вам четвертого соседа. Что-то никак мы сегодня не распределимся.

Знакомиться я не умел, потому что никогда этого раньше не делал и в компании сверстников очутился впервые. Не долго думая я подошел к Куранову, хлопнул его по плечу, как, мне казалось, должны делать настоящие приятели, и предложил:

— Давай дружить.

Потом я таким же образом предложил дружить Заварзину.

И Куранов, и Заварзин дружить со мной согласились. Куранова звали Игорь, а Заварзина Андрей. Игорь был со мной одного возраста, а Андрей на год старше. Но Андрей не выговаривал букву «р», заикался, и разница в возрасте совершенно не чувствовалась. Я подождал, пока мои новые друзья доиграют партию, и мы пошли осматривать санаторий.

До отбоя оставалось совсем немного. Поздний час настраивал на грустный лад и сдерживал голос. От запертых дверей бильярдной, кинозала и кружка «Умелые руки» исходила какая-то торжественность. Казалось, за каждой из них таится клад удовольствий, которому суждено попасть в наши руки завтра, но никак не сегодня. Но и сегодняшнего дня было жалко. Я хотел растянуть его, послоняться в надежде набрести на какие-нибудь новые события и уныло понимал — все, что могло сегодня произойти, уже произошло, и кроме как спать ничего не остается.

Когда мы вернулись в палату, то увидели нашего четвертого соседа. Со слезами на глазах он уговаривал воспитательницу переселить его:

— Ну пачэму я с ными должэн в палатэ быт! — кричал он. — Я к Мэдведэву хачу, к Коготкову! Ани маи дгузъя! А с этими што, на гагшке сидэт! Пэгэнэсите кгават, я здэс все гавно нэ астанус!

Четвертым нашим соседом стал Лордкипанидзе. Ему было тринадцать лет, и он хотел в палату к сверстникам, но там были заняты все четыре кровати. Чтобы переселить его, свободную кровать из нашей палаты надо было перенести в ту, где хотел жить Лордкипанидзе, и воспитательница на такие перестановки не соглашалась.

На шум пришла главврач:

— В чем дело?

Воспитательница объяснила. Главврач успокоила Лордкипанидзе, пообещав, что переселит его через пару дней, потом подошла ко мне и сказала:

— С Лордкипанидзе мы разберемся, а с этим Савельевым, Тамара Григорьевна, не знаю, что делать. Бабушка его со мной говорила, сказала, он какой-то больной-разбольной, ничего ему нельзя. Велела следить, чтоб не бегал, дала носовые платки с булавками. «Подкалывайте, — говорит, — под рубашку, меняйте, если вспотеет». Что я, Каштанка, за ним носиться? Лекарств вручила целый мешок. Сестра дежурная за голову схватится, там одной гомеопатии шесть коробок.

— Саш, — обратилась ко мне воспитательница, — ты чего ж такой больной нам на голову свалился? Сидел бы дома или в больницу бы лег. Здесь все-таки санаторий, а не реанимация. С тобой что случится, нас потом твоя бабушка со свету сживет. Что нам с тобой делать? В палате запирать?

— Нет, зачем? — ответила главврач. — Бабушка сказала, будет каждый вечер навещать, вот пусть и нянчится с ним. На весь день назначу ему процедуры, а вечером будет с бабушкой.

— А днем?

— А днем обед и тихий час.

Я чуть не плакал, прощаясь с мечтой о веселом летнем отдыхе, и думал, что на обратном пути обязательно казню в туалете поезда главврача и воспитательницу. Я даже начал выбирать, кого казнить первой, но воспитательница вдруг утешительно сказала:

— Ладно, не огорчайся. У нас всем здесь хорошо. Что-нибудь и для тебя придумаем.

И хотя главврач недоверчиво на нее посмотрела, от радости вновь обретенной надежды я тут же простил их обеих. На этом, однако, дело не кончилось.

Пожелав нам спокойной ночи, главврач повернулась к выключателю, чтобы погасить свет, но случайно бросила на меня еще один взгляд и замерла, словно разглядела что-то страшное.

— А где твой колпачок? — тревожно спросила она.

— Какой колпачок?

— Бабушка сказала, ты должен спать в колпачке.

Это было выше моих сил!

— Мне только после ванны...

— Надевай, надевай! Мне она сказала, чтобы ты в нем спал.

— После ванны!

— Надевай, не разговаривай! Где он у тебя? В чемодане?

Главврач открыла мой чемодан и сразу нашла колпачок, который, будто самая необходимая вещь, лежал сверху. На него тоже был нашит ярлычок с моей фамилией.

— Ну-ка привстань!

— После ванны!

Под дружный смех Куранова, Заварзина и Лордкипанидзе главврач ловко натянула колпачок мне на голову и с первой попытки, что не удавалось даже бабушке, заколола его под горлом булавкой.

— Все, спи. И только попробуй снять! Я ночью зайду проверю, — пообещала она, погасила свет и вышла вместе с воспитательницей из палаты.

Так закончился первый день в санатории.

С этого момента и до возвращения домой жизнь моя превратилась в калейдоскоп событий, рассказать о которых последовательно и подробно просто невозможно. Чего только не было за месяц моего отдыха! Это время было самым ярким в моей жизни, и омрачить его не могли ни махровый колпачок, ни бабушка, ни Лордкипанидзе, ни даже трехлитровая клизма, которую мне почем зря поставили перед самым отъездом.

Я пробовал играть в бильярд и в настольный теннис. Через день нам показывали кино, и это было открытием, потому что в кинотеатр бабушка меня не пускала, утверждая, что там легко заразиться гриппом. Ночью мы подолгу не спали, смешили друг друга, и ночная тишина, заставлявшая сдерживаться, превращала в уморительные шутки самые простые выходки. А однажды мне дали настоящие жареные котлеты с картошкой! Потом выяснилось, что котлеты предназначались Куранову и попали ко мне по ошибке вместо положенной по диете отварной рыбы, но я успел их съесть и, гордый, что, как все, ем котлеты настоящие, а не паровые на сушках, обводил столовую победоносным взглядом.

Но главной радостью был кружок «Умелые руки», в котором я проводил все время между бесчисленными процедурами и в котором ничего из-за этих процедур не мог толком сделать. Я пробовал выжигать, вырезать из дерева маску и даже, невзирая на запрет бабушки, клеил модель самолета. Вернее, клеили другие, но воспитательница доверила мне отделить все детали от пластиковых держателей, и я чувствовал себя полноправным участником. Из больших шкафов разрешалось брать все что угодно, и это нравилось мне больше всего. Случалось, я не глядя хватал какую-нибудь коробку, спрашивал у воспитательницы: «Можно?» — и, услышав: «Конечно, можно!» — ставил коробку обратно. Мне только и надо было лишний раз убедиться, что я могу брать все что захочется.

Самой замечательной поделкой в кружке была крепость из пластилиновых кирпичей, построенная в прошлую смену старшими ребятами. На башнях ровным кольцом возвышались прямоугольные зубцы. Из проделанных в стенах бойниц торчали крошечные арбалеты, заряженные наточенными спичками. Ворота закрывались сплетенной из полосок тонкой жести решеткой, а через нарисованный на картонном основании синей гуашью водяной ров вел хитроумный разводной мостик, поднимавшийся, если покрутить проволочную ручку с намотанной на нее ниткой.

За стенами крепости прятались пластилиновые рыцари с палец величиной. Их спины и грудь защищали латы из блестящей фольги, шлемы украшали раскрашенные подушечные перья, а вооружены они были маленькими жестяными мечами, копьями из канцелярских перьев и одной на всех катапультой, которая, судя по натянутой резинке и пластилиновому ядру, была действующей и готовой к бою.

Крепость поразила меня так, что я боялся к ней прикоснуться и хотел одного — иметь свою такую же. Получив две коробки пластилина и лист картона для основы, я принялся за лепку кирпичей. Кажется, я лепил их полсмены, но построить удалось только невысокую, в пять кирпичей, стену на одной стороне картонки. Я сделал решетку для ворот, приставил ее к своей стене и залюбовался. Здорово было чувствовать себя хозяином крепости! Еще я успел выгнуть из проволоки ручку для подъемного моста, нашел два канцелярских пера для рыцарских копий и скатал три ядра для будущей катапульты. На этом строительство закончилось — сделать больше я из-за постоянных процедур не успел.

В лечебном корпусе не было кабинета, в который мне не пришлось бы зайти! Мне делали электрофорез и светили в горло кварцевой лампой; прикладывали к носу минеральную грязь и заставляли делать упражнения в кабинете физкультуры. Я ходил на массаж и на парафинолечение, на ингаляцию и на минеральные ванны. Процедуры занимали все время до обеда, а после тихого часа ко мне приходила бабушка...

Бабушка приходила каждый день. Она приносила в круглой пластмассовой сетке с ручками мытую черешню, мытые с мылом и завернутые каждый по отдельности в кусочек туалетной бумаги абрикосы, яблоки. Бабушка очень боялась инфекции, мыльной пены казалось ей недостаточно, и яблоки с абрикосами она дополнительно обдавала кипятком из чайника. От этого на их кожице появлялись коричневые пятна, и бабушка каждый раз пояс-

няла мне, что это именно от кипятка, а не от
порчи.

— Ешь, ешь, не смотри, — говорила она,
когда я пальцем расковыривал в теле абрикоса
коричневый ожог. — Я скорее сама землю есть
буду, чем тебе несвежее дам. Стул у тебя нормальный?

Я давно знал, что стул — это не мебель, но
не понимал, почему этот стул так волнует бабушку. Дома она даже запрещала мне спускать
воду, пока я не покажу, что там и как. В санатории показать я ничего не мог, поэтому приходилось подробно описывать. Описания бабушке
не нравились. Она сетовала на хронический
колит, давала мне съесть десяток абрикосов и
расспрашивала о процедурах.

— Носик греют — хорошо, — одобряла она
минеральную грязь. — И кварц на гланды хорошо тебе. А электрофорез на бронхи. Врач
молодец, не такая дура, как я вначале думала.
Хотя что проку в этих процедурах, когда стафилококк золотистый... Спали в Сочи с этим карликом втроем в одной кровати, вот ты и подце-
пил. Съел абрикосы? Черешню бери.

Я ел черешню, слушал бабушку и, склады-
вая косточки ей в кулак, чтобы не мусорить,
прикидывал, успею ли во что-нибудь поиграть,
когда она уйдет.

Традиционные игры вроде колечка, которым
учила нас воспитательница, не были для меня

большой потерей, но вместо того, чтобы слушать про гланды, можно было бомбить мелкими камушками слепленные из песка танки, запускать в бассейне с рыбками пластилиновые батискафы, делать из проволоки скелетиков, да мало ли что еще...

Но самую интересную в санатории игру придумали старшие ребята. Они рисовали деньги, лепили из пластилина пистолеты и, посасывая скрученные из клетчатой бумаги сигареты, каждые пять минут друг друга грабили. Я тоже нарисовал себе деньги и, нарочито выставив их из кармана, расхаживал перед носом самых отъявленных грабителей, ожидая, что вот-вот чей-нибудь пистолет упрется мне в спину. Но нет... На моих глазах произошло уже два ограбления, а на меня словно не обращали внимания. Потом мне объяснили, что деньги, которые я нарисовал, никому не нужны, и грабить меня никто не станет. Тогда я отправился в кружок, слепил себе из куска зеленого пластилина пистолет, скрутил из бумаги сигареты и затаился на ведущей на чердак лестнице. Держа пистолет наготове, я мусолил во рту бумажную сигаретку и представлял себя следящим за грабителями агентом. Тут послышались шаги. Это был Лордкипанидзе.

— Ты што тут дэлаеш? — удивился Лордкипанидзе.

— Не подходи! — крикнул я, наставив на него оружие.

— Слушай, у тэбя пластэлин! — обрадовался Лордкипанидзе. — Дай, а то в кгужке кончилса.

Взяв пистолет у меня из рук, Лордкипанидзе скомкал его и пошел обратно. Так закончилась игра в агента.

Лордкипанидзе вообще сильно отравлял мне жизнь. Он был большой шутник и все время выделывал с нами разные штуки. Это так ему понравилось, что он даже передумал переселяться в палату к Медведеву и Короткову. Подойдя, например, к Заварзину, Лордкипанидзе говорил:

— А сэчас Завагзин Андгей Александгович скажэт слово «тгактогище» или палучит пять пэндалей.

Разумеется, Заварзин, для которого буква «р» была камнем преткновения, получал пять пендалей, и мы с Игорем очень смеялись.

Шуткам Лордкипанидзе смеялись не из желания угодить, а потому что действительно было смешно. Не до смеха было только тому, над кем он шутил. Но Лордкипанидзе шутил над всеми по очереди, и пока одному доставалось, остальным было весело.

Закончив шутить с Заварзиным, Лордкипанидзе подходил к толстому Куранову и объявлял:

— Ну што, пузо, буду тэбя буцкат. Сэчас закат, буду буцкат с заката да гасвэта. Патом атдахну, и с гасвэта да заката. Надо ж тэбе худэт, а то скаго кагсэт на сэми вегевках насит пгидется.

После такого вступления Лордкипанидзе делал Куранову серию боксерских ударов по животу, и хотя они были шутливыми и не очень сильными, Куранов скорее от страха, чем от боли сгибался и валился на кровать.

— Умэг! — возвещал Лордкипанидзе. — С пгискорбием саабщаю вам о бэзвгэменной канчине лучшэй нашей баксегской ггуши Игогяши Куганова.

Я дружил с Курановым, сочувствовал ему, но не мог не смеяться лордкипанидзовским шуткам! И мне было завидно, что насмешить, выдумать «корсет на семи веревках» Лордкипанидзе может, а я нет. Зависть переходила в восхищение, восхищение в свою очередь сменялось страхом: закончив с Курановым, Лордкипанидзе принимался шутить со мной.

Он брал меня за ноги и, приговаривая: «Ой, атпущу, атпущу!» — начинал крутить в воздухе. Лордкипанидзе был старше и сильнее, в его руках я чувствовал себя, как пара пустых колготок, и покорно ждал, когда шутка кончится. Покрутив пару минут, Лордкипанидзе ставил меня на пол, и я тут же падал, потому что пол качался у меня перед глазами. Все смеялись. Потом Лордкипанидзе спрашивал:

— Ну, Пацагапанный Нос, што скажэш?

Прозвище Поцарапанный Нос родилось в тихий час, когда Лордкипанидзе попросил меня закрыть глаза. Я закрыл, а он защемил мне нос зазубренным пинцетом и провел. На носу остались с обеих сторон длинные царапины, и появилось прозвище, которое всех очень забавляло.

— Так што скажэш, Пацагапанный Нос?

— Что сказать? — спрашивал я, поднявшись наконец на ноги.

— Сильный я?

— Сильный.

— Пащупай...

Лордкипанидзе напрягал согнутую в локте руку, и я почтительно щупал.

— А тэпег извинис!

С этими словами Лордкипанидзе делал мне «сливку» — я неосторожно поднимал руки, чтобы схватиться за нос, и получал в придачу «бубенчики». «Бубенчики» были самой неприятной шуткой из всех. Они напоминали «сливку», только вместо носа дергалась та часть тела, на которую я до санатория совсем не обращал внимания и замечал только, что, купая меня, бабушка мыла ее с особой бережностью. «Бубенчиков» Лордкипанидзе надергал мне столько, что потом в ванной, стоило бабушке протянуть руку с мочалкой, я тут же привычно сгибался и кричал: «Осторожно!»

Но самой затейливой выдумкой Лордкипанидзе были деньги. Старшим ребятам надоело играть в грабителей, и нарисованные «фикси-фоксы» стали ненужными. Лордкипанидзе забрал их себе, и в его руках они приобрели не игровую, а реальную цену: «фикси-фоксами» можно было откупиться от пендалей, от «бубенчиков» и от чего угодно.

— Ну што, пузо, буду тэбя буцкат, — говорил Лордкипанидзе Куранову. — Буду буцкат, или плати пять фикси-фоксов.

Куранов платил, и Лордкипанидзе ничего ему не делал.

Разумеется, чтобы платить, «фикси-фоксы» надо было сперва заработать. Раза три в день Лордкипанидзе подходил к нам с кульком, в котором были туго завернутые бумажки, и объявлял лотерею. Мы тянули и вытягивали — кто пять «фикси-фоксов», кто десять, а кто бумажку с надписью «пять пендалей» или «десять сливок». Бумажек с пендалями лежало в кульке намного больше. Были и другие способы заработка. Как-то в холле Лордкипанидзе предложил нам с Игорем драться и сказал, что победитель получит пятьдесят «фикси-фоксов». Я не понимал, зачем нам драться, если мы друзья, но Игорь повалил меня, ударил головой о горшок с фикусом и стал душить. Лордкипанидзе сказал, что он победил, и дал ему положенные «фикси-фоксы».

Ценность «фикси-фоксов» не вызывала сомнений. Если после утренней лотереи в кармане хрустело десять—пятнадцать, за предстоящий день можно было особо не беспокоиться; если хрустело двадцать—тридцать, можно было почувствовать себя королем и до вечера расслабиться. В лотереях мне обычно не везло, и вскоре я стал обменивать на «фикси-фоксы» бабушкины передачи. Абрикосы в туалетной бумаге шли у Лордкипанидзе по пять «фикси-фоксов» штука.

К сожалению, «фикси-фоксами» нельзя было откупиться от медсестер, которые омрачали мой отдых гораздо больше Лордкипанидзе. Их было четыре, и сменялись они с очередностью, которую мы никак не могли установить. Добрая медсестра была одна. Звали ее Катя, и все ее очень любили.

— Сегодня Катя будет! — сообщал кто-нибудь, и это принималось как радостное известие.

Когда она дежурила, можно было смотреть телевизор дольше обычного, тихонько перешептываться и даже смеяться. Если веселье разгоралось слишком сильно, Катя подходила к дверям палаты и говорила: «Тихо!» Больше она ничего не делала, потому что, как я уже сказал, была добрая. Остальные сестры были злые.

Главной особенностью палат были разделявшие их стеклянные стены. Санаторий просматривался насквозь, и медсестра могла следить за всеми, не уходя со своего поста. Ночью через зеленоватую муть стекол мы видели далекое зарево настольной лампы и знали: стоит нам засмеяться, устроить какую-нибудь возню — тут же ворвется она... «Ну, кому тут не спится?!» — спрашивала злая медсестра, и хотя все притворялись спящими, кого-нибудь одного она поднимала с кровати и выставляла в холл. Это наказание было самым безобидным. Лордкипанидзе отправили однажды стоять в палату к девочкам, а меня за попытку сходить ночью в столовую за хлебом повели в процедурный кабинет. Это место и при дневном свете было самым страшным в санатории, а ночью от его вида у меня потемнело в глазах.

— Ну что, Савельев, не хочешь спать? — спросила медсестра, и голос ее гулко звучал в окружении чистого белого кафеля. — Сейчас захочешь. Ну-ка садись...

Открыв стерилизатор, медсестра достала блестящую железную коробку, и я услышал, как шуршат в ней звонким металлическим шорохом иглы.

— Сейчас пару пробирочек возьму из вены, заснешь, как миленький. Давай закатывай рукав...

Не помню, что я, трясясь от страха, говорил, как извинялся, но кровь у меня не взяли. Оттаскав немного за волосы, медсестра отвела меня обратно в палату, и, глубоко вздохнув, я тут же заснул. В столовую я больше ходить не пытался.

Но самыми неприятными были ночи, когда оставались дежурить сразу две злые медсестры. Войдя в палату по поводу какого-нибудь очередного скрипа, они становились на пороге и начинали придумывать, что кому будут сейчас делать.

— Ну что, Савельева в холл выставим или к девочкам? По-моему, они его еще не видели.

— И не надо! Чего им на такого дистрофика смотреть, пугаться только. Лучше Куранова. А Савельеву я кровь из вены возьму.

— Оставь, я вчера хотела, так он чуть не обосрался. Отмывать потом... Заварзин, а ты чего улыбаешься, смешно тебе? Ну пойдем со мной, вместе посмеемся. Вставай, я знаю, что ты не спишь. Сейчас тебе будет весело.

И Заварзину делали в процедурном два укола.

Медсестер мы считали заклятыми врагами и свою ненависть выражали кто как мог. Лордкипанидзе сочинил песню «Нас было четверо в палате», в которой на мотив «Интернационала» пелось о готовности бороться с ними до конца, а я решил организовать повстанческую группу. Не полагаясь на Куранова и Заварзина, руководить которыми было бы сложно, я собрал около себя самых младших ребят — девочку и двух мальчиков — и сказал, что мы теперь подпольная организация, будем делать против медсестер тайные диверсии, а я буду главный.

Для начала я велел своим диверсантам выучить песню «Нас было четверо в палате». Диверсанты отдали мне листок со словами неразвернутым, потому что, оказалось, не умели читать. Это открытие порядком меня озадачило, так как я уже составил шифр, которым мы должны были писать друг другу тайные записки. Буквам соответствовали цифры, и, сверяясь с таблицей, можно было распознать, за какой цифрой какая буква кроется. Увы, чтобы распознать, какой смысл кроется в свою очередь за буквами, диверсантам в придачу к таблицам понадобился бы букварь. На этом деятельность повстанческой группы закончилась, но зато я почувствовал, что такое быть главным и как это здорово.

А вот Лордкипанидзе мы с Курановым попытались отомстить более действенно. Лично ему мы, конечно, сделать ничего не осмелились бы, но у него в шестой палате была подружка, на которой мы решили отыграться за все «бубенчики» и на все «фикси-фоксы».

Подружке Лордкипанидзе было лет двенадцать. Звали ее Оля. Она была очень бледная, говорила тихим голосом и ходила в синем платье с маленькими желтыми цветочками. Во взгляде ее больших серых глаз плавала печаль. Оля любила своего дедушку, а дедушка не мог ее часто навещать. Каждые полчаса Оля подходила к воспитательнице, медсестре или к кому-нибудь из ребят, поднимала огромные, как у лемура, глаза и с тоской спрашивала:

— Как вы думаете, мой дедушка сегодня приедет?

Сначала ей отвечали ласково. Потом сдержанно. Через неделю от нее стонал весь санаторий. Если утром воспитательница отвечала ей, что дедушка приедет вот-вот, а медсестра после обеда уверяла, что приедет со дня на день, после ужина Оля считала своим долгом отследить их обеих и с упреком сказать:

— Вот видите... День прошел, а он не приехал. Может, он вообще больше не приедет ко мне. У него столько дел. Я думала, он вчера приедет, и вы обещали... но был такой дождь. Понимаете, если будет дождь, он не приедет. У него шофер, а дорога такая скользкая... Как вы думаете, завтра дождь будет?

— Не будет дождя, — отвечала добрая сестра Катя, закатывая глаза, как от зубной боли.

— А если не будет, почему же он тогда не приедет?

Дедушка приезжал к Оле всего несколько раз. Он не привозил ни черешни, ни абрикосов. Просто садился с Олей на скамейку, обнимал ее и гладил по голове. Оля щурилась от счастья, а воспитательница и медсестра получали короткую передышку.

Единственным, кто не злился на Олю, был Лордкипанидзе. Он играл с ней в настольный теннис, садился рядом смотреть телевизор, уверял, что дедушка скоро приедет, и все время тщетно пытался рассмешить. На все его шутки Оля вздыхала и тихо с укором говорила:

— Ну, Вахташ...

Их дружба казалась нам серьезной, неведомой и недосягаемой областью жизни старших. Мы чувствовали, что в ней кроется какая-то тайна, и именно из-за этой тайны, навредив как-нибудь Оле, можно отомстить Лордкипанидзе. Посовещавшись, мы с Игорем решили насовать ей в постель кузнечиков.

Вечером, когда все смотрели телевизор, мы пробрались в шестую палату и посадили под одеяло Олиной постели кузнечиков пять или шесть. После отбоя послышался страшный визг, а утром следующего дня Лордкипанидзе вел нас извиняться. Он привел нас за выкрученные уши, и хотя извинялись мы от души, это не спасло нас вечером от особо звонких «бубенчиков», как не спасли от них и сорок «фикси-фоксов», полученных мной накануне за два килограмма бабушкиной семеренки.

За день до отъезда воспитательница собрала всех нас в холле и сказала, что мы пойдем в город покупать сувениры. Она достала листок с именами, и по порядку списка стала всем выдавать по рублю. Я никогда еще не держал в руках настоящие деньги, и рубль, который воспитательница вручила мне, поставив против моей фамилии жирную галочку, казался залогом невообразимого счастья. Я бережно перегнул его пополам, спрятал в нагрудный карман рубашки и щупал каждые пять минут.

В магазине оказалось, что рубля для счастья недостаточно. Сувениры стоили дороже. У ребят были еще свои деньги, они добавляли и покупали все что хотели. Игорь купил бронзового козла, Заварзин — красивый глиняный поильник, Лордкипанидзе — настоящий барометр. Неужели я вернусь в Москву с пустыми руками?! Я осмотрел все витрины и нашел единственный сувенир, который стоил девяносто копеек, — пластмассовый Царь-колокол с надписью «Сокровища Московского Кремля» на подставке. С радостью отдав за него свой рубль, я получил десять копеек сдачи и довольный вышел из магазина. Дома бабушка сказала, что привезти из Железноводска московский сувенир может только кретин вроде моего дедушки.

Купив сувениры, мы до самого обеда гуляли по городу. Повсюду продавали сахарную вату, и ребята, у которых оставались деньги, уписывали ее за обе щеки. На свои десять копеек я купил крохотную щепотку и медленно ел, чтобы все видели. В тихий час к нам в палату вошла главврач:

— Куранов, ты сахарную вату ел с ребятами?

— Нет, — ответил Игорь, потративший все деньги на козла, которым любовался теперь, поворачивая его на тумбочке то так, то этак.

— А ты, Савельев?

— Ел! — гордо ответил я.

— Одевайся, пойдем со мной.

Оказалось, вата — страшная отрава, и теперь мне должны были поставить в процедурном кабинете огромную клизму! Перед дверью, из-за которой доносились приглушенные стоны, сидел уже Лордкипанидзе.

— Я только чуть-чуть... — робко проронил я.

— «Чуть-чуть», — передразнила главврач, усаживая меня на стул. — У тебя заворот кишок, а мне адвокатов нанимать от твоей бабушки? Нет, спасибо!

Из процедурного кабинета вышел и осторожно поспешил в туалет Медведев. Нехотя пошел на его место Лордкипанидзе. За ним настала моя очередь.

Лежа на холодной клеенчатой кушетке, я пыхтел от больно распирающей меня воды и думал о правоте бабушки, которая говорила: «Как все, хочешь быть? А если все будут вешаться?!» Дорого обошлась мне сахарная вата!

Хотя отдых в Железноводске был самым ярким событием моей семилетней жизни, воспоминания о нем остались не очень счастливые и надолго стали поводом для игр и фантазий, о которых я хочу в заключение рассказать.

Я всегда знал, что я самый больной и хуже меня не бывает, но иногда позволял себе думать, что все наоборот и я как раз самый лучший, самый сильный, и дай только волю, я всем покажу. Воли мне никто не давал, и я сам брал ее в играх, которые разворачивались, когда никого не было дома, и в фантазиях, посещавших меня перед сном.

Первая игра появилась еще до санатория, после того как бабушка ткнула пальцем в телевизор, где показывали юношеские мотогонки, и восторженно сказала:

— Есть же дети!

Эту фразу я слышал уже по поводу детского хора, юных техников и ансамбля детского танца, и каждый раз она выводила меня из себя.

— А я их обгоню! — заявил я, притом что даже на маленьком велосипеде «Бабочка» ездил с колесиками по бокам заднего колеса, и только по квартире.

Разумеется, я не думал, что могу обогнать мотоциклистов, но мне очень хотелось сказать, что я обгоню, и услышать в ответ: «Конечно, обгонишь!»

— Ты?! — презрительно удивилась в ответ бабушка. — Да ты посмотри на себя! Они здоровые лбы, ездят на мотоциклах, тебя, срань, плевком перешибут!

Я замолчал и придумал такую игру: когда бабушка давала мне тарелку с нарезанным кружочками бананом, я представлял, что это мотоциклисты.

— Да мы все здоровые, ездим на мотоциклах, тебя плевком перешибем! — говорил я за первый кружочек, представляя, что это самый главный мотоциклист-предводитель.

— Ну попробуй! — отвечал я ему и с аппетитом съедал.

— А-а! Он съел нашего самого главного! — кричали остальные кружочки-мотоциклисты, и из их толпы выходил на край тарелки следующий самый главный предводитель. Есть простых мотоциклистов было неинтересно.

— Теперь я самый главный! — говорил второй мотоциклист. — Я перешибу тебя!

Под конец на тарелке оставался последний кружок, который оказывался самым главным предводителем из всех. Он обычно дольше всех грозился меня перешибить, дольше всех умолял о пощаде, и его я съедал с особым аппетитом.

Такой же игрой была расправа с врачами, которых я не только казнил в туалете поезда, но и сбрасывал с балкона, слепив их предварительно из пластилина. Санаторий «Дубровка» сделал мои игры куда более изощренными. Пока я был там, я принимал события такими, какими они были, не думая, нравятся они мне или нет, и о самых неприятных происшествиях вроде крови из вены или поцарапанного носа забывал, как только они исчезали в недалеком прошлом. Дома же я припоминал все...

Оставшись один, я набивал карманы старыми батарейками от приемника, надевал на голову десантный берет, подаренный дедушке на концерте в армейской части, брал в руки большой деревянный нож для бумаги и врывался в спальню, представляя, что это санаторий. За спиной у меня были воображаемые десантники. Все они были моего возраста и беспрекословно слушались. Среди них были Заварзин и Куранов.

— Вперед! — кричал я, и десантники с криками занимали отделение.

— Это он! — в ужасе вопили разбегавшиеся медсестры. — Савельев с десантниками!!!

Я выхватывал из карманов батарейки и швырял их одну за другой под шкаф, под трюмо, под бабушкину кровать. Это были гранаты. Ба-бах! Ба-бах! Взрывалась столовая, разлетался пост медсестры, в куски разносило процедурный кабинет. Ба-бах! Ба-бах! Летела по коридору отварная рыба, сыпались разделявшие палаты стекла, звенели рассыпавшиеся по полу шприцы и иглы. Десантники топтали их сапогами и спрашивали, что делать дальше.

— Этих ловите! — кричал я, указывая пальцем на воображаемые спины убегавших медсестер.

— Не надо! Мы больше не будем! — умоляли медсестры.

С ними вместе молила о пощаде добрая Катя. Но у нее в глазах была вместо ужаса надежда. Она знала, что я не трону ее.

— Эту отпустите. Пусть укроется в торцевой, — приказывал я, и десантники прятали Катю от пуль за коробками с кубиками. — А этих вяжите!

Злых медсестер десантники связывали по рукам и ногам и складывали рядком между сломанным фикусом и разбитым телевизором, которому не суждено было больше показывать первую программу.

— Ну что? — сурово спрашивал я, щекоча медсестер под подбородком острием своего ножа. — Поняли, с кем дело имеете? Смотрите не обосритесь, а то отмывать вас потом...

Перед сном я обычно расправлялся с Лордкипанидзе. Я представлял, как он делает мне «бубенчики», и нажимал пальцем на ладонь.

Это означало, что я нажал кнопку воображаемого дистанционного пульта. В блестящем линолеуме палаты открывались маленькие люки, и из них, грозно шипя и извиваясь, выползали огромные кобры с рубиново-красными глазами и в фуражках с высокими тульями. Кобр в фуражках я видел на рисунке в газете. Одну звали Пентагон, а другую НАТО. Они понравились мне своим хищным видом и в фантазиях стали лучшими друзьями и заступницами. Шипя и скаля ужасные пасти, они обвивали Лордкипанидзе и, преданно глядя на меня красными глазами, ждали одного слова, чтобы задушить его или закусать до смерти. Но в палату вбегала в синем с цветочками платье Оля и тихо говорила:

— Ну, Саш...

Я задумывался, нажимал на пульте другую кнопку, и кобры, разочарованно шурша, уползали в свои люки. Лордкипанидзе падал на колени, а я небрежно указывал на Олю и говорил:

— Ей спасибо скажи, а то жрали бы тебя с рассвета до заката...

Фантазии будоражили меня так, что я не мог заснуть, снова вспоминал обиды и снова разворачивал перед глазами красочную месть, которая кончалась обычно мольбами о пощаде и снисходительным прощением. Фантазии такие посещали меня очень долго. В санаторий бабушка ездила со мной три года подряд.

ПОХОРОНИТЕ МЕНЯ ЗА ПЛИНТУСОМ

Я много болел и, по прогнозам бабушки, должен был сгнить годам к шестнадцати, чтобы оказаться на том свете. Тот свет виделся мне чем-то вроде кухонного мусоропровода, который был границей, где прекращалось существование вещей. Все, что попадало в его ковш, исчезало до ужаса безвозвратно. Сломанное можно было починить, потерянное — найти, о выброшенном в мусоропровод можно было только помнить или забыть. Если бабушка что-то отбирала, я знал — пока не закрылся ковш, вещь существует, есть надежда выпросить ее обратно или хотя бы еще увидеть; если ковш закрылся, существование отобранного прекратилось навсегда.

Как-то мама подарила мне набор инструментов, в котором среди прочего был маленький молоток. Я постучал им по спинке дедушкиного дивана, оставив на ней несколько вмятин, за что дедушка отобрал молоток и унес его на кухню. Тут же я услышал, как хлопнул ковш мусоропровода. Поняв, что мамин молоток пропал и я никогда его больше не увижу, я заплакал, как не плакал ни разу в жизни. Ковш закрылся... мамин подарок... больше никогда! Никогда!

Никогда. Это слово вспыхивало перед глазами, жгло их своим ужасным смыслом, и слезы лились неостановимым потоком. Слову «никогда» невозможно было сопротивляться. Стоило мне немного успокоиться, «никогда» настойчиво поднималось откуда-то из груди, заполняло меня целиком и выжимало новые потоки слез, которые, казалось, давно должны были кончиться. На «никогда» нельзя было найти утешения, и я даже не хотел смотреть, что сует мне в руки дедушка. А дедушка совал молоток. Оказалось, он просто спрятал его в свой ящик, а мусоропровод хлопнул, потому что бабушка выбрасывала мусор. Я с трудом успокоился и, держа молоток в руках, все еще не мог поверить, что снова вижу его, а ужасное «никогда» отступило и не будет больше меня мучить.

«Никогда» было самым страшным в моем представлении о смерти. Я хорошо представлял, как придется лежать одному в земле, на кладбище, под крестом, никогда не вставать, видеть только темноту и слышать шуршание червей, которые ели бы меня, а я не мог бы их отогнать. Это было так страшно, что я все время думал, как этого избежать.

«Я попрошу маму похоронить меня дома за плинтусом, — придумал я однажды. — Там не будет червей, не будет темноты. Мама будет ходить мимо, я буду смотреть на нее из щели, и мне не будет так страшно, как если бы меня похоронили на кладбище».

Когда мне пришла в голову такая прекрасная мысль — быть похороненным за маминым плинтусом — то единственным сомнением было то, что бабушка могла меня маме не отдать. А видеть из-под плинтуса бабушку мне не хотелось. Чтобы решить этот вопрос, я так прямо у бабушки и спросил: «Когда я умру, можно меня похоронят у мамы за плинтусом?» Бабушка ответила, что я безнадежный кретин и могу быть похоронен только на задворках психиатрической клиники. Кроме того оказалось, что бабушка ждет не дождется, когда за плинтусом похоронят мою маму, и чем скорее это случится, тем лучше. Я испугался задворок психиатрической клиники и решил к вопросу похорон пока не возвращаться, а годам к шестнадцати, когда совсем сгнию, поставить его ребром: последняя воля усыпающего, и все тут. Бабушка не открутится, а мама будет только рада, что меня похоронят совсем рядом.

Мысли о скорой смерти беспокоили меня часто. Я боялся рисовать кресты, класть крест-накрест карандаши, даже писать букву «х». Встречая в читаемой книге слово «смерть», я старался не видеть его, но, пропустив строчку с этим словом, возвращался к ней вновь и вновь и все-таки видел. Тогда становилось понятно, что плинтуса не избежать.

Болел я часто, а лечился все время. И было непонятно, почему, если лечусь, все равно болею. Когда я задавал бабушке этот вопрос, она отвечала: «Не лечился бы, давно издох» — и давала мне какую-нибудь таблетку.

Я лечился от всего, но болел не всем, кое-что у меня было здорово, например зрение. И когда окулист что-то там все же нашел, я сказал бабушке: «Бабонька, единственное, что у меня было здоровое, это глаза!» И разрыдался. Эту мою фразу бабушка всем потом с умилением приводила.

Я был очень завистлив и страшно завидовал тем, кто умеет то, чего не умею я. Так как не умел я ничего, поводов для зависти было много. Я не умел лазить по деревьям, играть в футбол, драться, плавать. Читая «Алису в Стране Чудес», я дошел до строк, где говорилось, что героиня умеет плавать, и от зависти мне стало душно. Я взял ручку и приписал перед словом «умеет» частицу «не». Дышать стало легче, но ненадолго — в тот же день по телевизору показали младенцев, научившихся плавать раньше, чем ходить. Я смотрел на них испепеляющим взглядом и втайне желал, чтоб ходить они так и не научились.

Больше всего я завидовал моржам.

«Люди в проруби купаются, а я болею все время и в трех шарфах хожу, — думал я, зло глядя в телевизор, где шла передача о закаливании. — А может, зря бабушка меня так кутает, может, я тоже, как морж, смогу?»

Терпение лопнуло, когда я увидел выбежавшего из бани на снег трехлетнего карапуза. Обида была страшная! Утешало лишь то, что я старше и могу хорошенько дать карапузу по мозгам. Тешиться пришлось недолго. Я вспомнил, что к шестнадцати сгнию, и понял, что возраст против меня. А карапуз улыбнулся малозубым ртом и резво побежал вдаль по снегу. Гнить он не собирался.

«Ух оскалился, зараза! — подумал я. — Хоть бы ты замерз там!»

Карапуз в ответ засмеялся и стал закапываться в снег с головой. Это было уже невыносимо!

За окном свистнул ветер. Балконная дверь скрипнула. Бабушки дома не было. Я скинул шерстяную кофту и рубашку, открыл балкон и шагнул навстречу косо падающему снегу.

Стоял январь, и мороз был таким, каким полагалось ему быть в середине зимы. Ветер крутанул вокруг меня снежную пыль, глубокий вздох застыл в груди ледяным осколком. В голове осталась одна мысль: «Замерз!» — остальные улетели вместе с ветром, завертелись поземкой, унеслись прочь. Вернувшись из объятий звенящего мороза в пахнущее жучками тепло комнаты, я закрыл балконную дверь, неподдающимися руками натянул одежду и пошел на кухню согреваться горячим чаем.

Налив в чайник воды и поставив его на плиту, я стал разжигать газ. Согреться я еще не успел, и спички ломались в пальцах. С четвертого раза я зажег огонь, сел подле чайника на табурет и протянул руки к голубым язычкам пламени. Маленький чайник закипел быстро, и вода заклокотала в носике пузырьками, которые, лопаясь, превращались в брызги, больно кусающие мои протянутые к огню руки. Я выключил газ, нашел на столе заварку и сделал себе крепкого горячего чаю.

Чай разнес тепло по всему телу. Захотелось лечь под одеяло и полежать. Я лег, и тогда меня словно окутало теплое облако. Вскоре я уснул.

От прохладного прикосновения ко лбу я проснулся и увидел склонившуюся надо мной бабушку.

— Плохо чувствуешь себя, Сашенька? — спросила бабушка, убирая руку. — Болит что-нибудь?

— Нет, не болит.

— А что? Может, слабость такая, знаешь, ломит все?..

— Нет у меня слабости. Прилег просто и уснул.

— Ну, вставай, — сказала бабушка и вышла из комнаты.

Вставать не хотелось. Я согрелся в кровати и действительно — здесь бабушка угадала — испытывал слабость. «Может, где-нибудь ломит?» — подумал я и, закрыв глаза, стал прислушиваться к своим ощущениям.

Ой, как ломит под мышкой! Прямо как будто там сверлят дырку. И сильнее, сильнее...

Я открыл глаза. Бабушка совала мне под мышку градусник, поворачивая его туда-сюда, чтобы он встал получше. Оказывается, я снова уснул.

— Сейчас тутульки смерим, — сказала бабушка, поставив наконец градусник как ей хотелось. — Ты, когда был маленький, говорил «тутульки». А еще ты говорил «дидивот» вместо «идиот». Сидишь в манежике, бывало, зассанный весь. Ручками машешь и кричишь: «Я дидивот! Я дидивот!» Я подойду, сменю тебе простынки. Поправлю ласково: «Не дидивот, Сашенька, а идиот». А ты опять: «Дидивот! Дидивот!» Такая лапочка был...

Бабушкина рука, нежно гладившая меня по голове, вздрогнула.

— Господи, температура жарит, лоб горит. За что этот ребенок несчастный так страдает?

Пошли мне, Господи, часть его мук. Я старая, мне терять нечего. Смилуйся, Господи! Верно говорят: за грехи родителей расплачиваются дети. Ты, Сашенька, страдаешь за свою мать, которая только и делала что таскалась. А я стирала твои пеленки, и на больных ногах носила продукты, и убирала квартиру.

Соленая капля упала мне на губы. Бабушка продолжала что-то говорить, но теперь ее слова заглушались шумом, и до того звучавшим у меня в ушах, но усилившимся сейчас. Громче. Громче. Вот уже совсем не слышно бабушки, один шум...

Прибой. Значит, близко море. Нет, это не море, я в ванной. Интересно, в ванной есть прибой? Конечно, есть, ведь я его слышу. Ой, какая горячая вода, как же здесь рыбы живут? Нырну, посмотрю. Ага, вот и рыба! Прямо на меня плывет. Сейчас спрошу у нее, как вы здесь живете, не горячо ли. Как к ней повежливей обратиться?..

Но рыба, не доплыв до меня, свернула и заплыла в раскрывшуюся вдруг перед ней в стенке ванной дверь.

— Где была? — спросили оттуда.

— Таскалась, — ответила рыба.

Дверь захлопнулась.

Шум прибоя усилился. «Будет шторм, — подумал я. — Куда бы спрятаться? Может, к рыбе? А пустят?»

Пока я думал, пустят меня или нет, ко мне подплыла мочалка. В ней открылся люк, и из него высунулась бабушка.

— Слабохарактерные кончают жизнь в тюрьме, — сказала она. — Ну-ка выныривай!

Я послушался.

Над водой стояла тьма, лишь вдалеке ее нарушал тусклый красный огонек рефлектора.

— Пароль? — раздался голос сверху.

— Я не знаю, — ответил я.

— Тогда нужен анализ. Сколько вам лет?

— Тридцать девять и пять, — ответила за меня бабушка.

— Это неправда! — закричал я, испугавшись, что из-за неверно названного возраста мне сделают не тот анализ.

Тусклый огонек рефлектора стал разгораться, ярко вспыхнул и, превратившись в настольную лампу, осветил все вокруг.

Я лежал на кровати. Бабушка сидела рядом и прятала градусник в футлярчик. Лицо ее было заплакано.

— Ну, как тебе, Сашенька?

— Плохо, баба, — ответил я.

Перед глазами у меня была комната, но тело мое словно осталось там, в горячей ванне, и изредка по нему проводили холодной струей из опущенного в эту же ванну душа.

«Так это не прибой шумит, а душ. Как я сразу не догадался? Душ в ванной есть, а прибой откуда? В ванной прибой — глупая мысль. А что делать, если пришла глупая мысль? Надо ее скорее заменить умной. Где у меня умная мысль? Куда же она подевалась, черт побери, ведь была только что...»

— Взяла билет на поезд и уехала, — сказал кривоногий человечек в зеленом, высунувшись из-за колокола.

«Откуда колокол?» — подумал я.

— Сокровища Московского Кремля, — ответил человечек, взял кувалду и стал лупить по колоколу изо всех сил.

— Тише, — сказала ему кувалда. — Сейчас пройдет процессия с большим барабаном, не забудь отдать честь.

Человечек бросил кувалду, достал из кармана паровую молотилку и стал молоть честь, чтобы легче было ее отдавать.

Вдали показалась процессия с большим барабаном. Барабан был не просто большим. Он был таким огромным, что его приближение вызывало ужас. Было ясно, что, приблизившись, он поглотит своими размерами все. Процессии видно не было. Барабан поглотил ее и плыл по воздуху сам. Все ближе и ближе. Бум-м-м. Барабан приближается, он бьет сам в себя изнутри, словно в нем бьется все поглоченное. Бум-м-м. Вот он совсем близко, скоро поглотит и меня. Что же делать? Кажется, надо отдать ему честь. Чем бы раздробить ее? Громада барабана выросла надо мной. Сейчас он ударит сам в себя. Это неотвратимо. Я чувствую, как через несколько мгновений исчезну и стану его частицей. Барабан медлит. Он ждет, отдадут ли ему честь. Но почему я должен делать это первым? Пусть первым будет зеленый человечек!

Что это? Стук его молотилки усилился. Да и сама молотилка стала вдруг увеличиваться в размерах. Она становится больше и больше, но все еще ничтожно мала по сравнению с барабаном. Стук ее превращается в страшный грохот, но против боя барабана это лишь слабое жужжание.

— Бум-м-м. Бум-м-м, — забил надо мной большой барабан и покатился прямо на молотилку.

— Гр-рах, — удесятерился ее грохот, перекрыв этот бой, и, разом став вдвое больше барабана, молотилка понеслась ему навстречу.

«Они столкнутся! Столкнутся прямо надо мной!» — понял я и со стоном открыл глаза.

— Просто пышет весь, Галина Сергевна. Хрипов вроде нет, но ведь будут, без астматического компонента ни разу еще не обходилось. Аспирин ему нельзя... и анальгин тоже. Вы же знаете, с его почечной недостаточностью жаропонижающее — яд. — Бабушка сидела на кровати рядом со мной и говорила по телефону. — Хорошо, попробую поставить клизму. Даже не знаю, где этот урод простудиться успел... Нет, урод! Урод, потому что нормальные дети за три часа, пока никого дома нет, не простужаются. Я ушла, он был здоров. То есть здоров-то он с рождения не был, но хоть ходил и температура была нормальная, а сейчас головы поднять не может... Хорошо, завтра в десять я буду ждать. Галина Сергевна, милая, возьмите на всякий случай порошки Звягинцевой, я вам отдам деньги... Да что вы! Копейка рубль бережет, а врачам пока зарплату не поднимают. В десять я вас жду. Всего хорошего.

Бабушка положила трубку.

— Ну как ты? — спросила она меня.

— Я видел страшный барабан, — ответил я.

— Тебя бы на барабан натянули, как ты мне надоел! Сил нет терпеть, как ты гниешь.

— Большой барабан, баб. Очень большой.

— Ну если очень большой, тогда твоих мощей на него не хватит. Завтра в десять придет Галина Сергевна, посмотрит тебя.

Галина Сергевна была моим лечащим врачом, и ни одна моя болезнь без трех-четырех ее появлений не обходилась. А если количество этих появлений помножить на количество моих болезней, то получалось, что видел я ее очень и очень часто.

«Неудобно уже перед ней, — думал я. — Ни к кому, наверное, столько не ездит. Не успеет выписать справку и сказать: «Ну все, Саша, всего хорошего, не болей», как уже надо снова ко мне ехать. Завтра вот опять...»

Бабушка ушла на кухню и спустя минут пять вернулась с чашкой, от которой исходил запах ошпаренного веника.

— Выпей. — Бабушка поднесла чашку к моим губам.

Это была какая-то новая комбинация трав. Бабушка была мастером по части разных отваров и из скромного количества трав, имевшихся в ближайшей аптеке, варила пойла, запах которых был самым разнообразным, вкус тоже, а бабушка уверяла меня, что и лечебные свойства у них разные, для каждого случая строго определенные. Веря бабушке, я выпил новый настой и откинулся на подушку.

— Лежи, котик, — сказала бабушка. — Через полчаса я тебе клизмочку жаропонижающую поставлю.

— Какую клизмочку?

— Обычную. Без организмочка. Поставлю, токсины выйдут, и температура упадет градуса на полтора. С ромашкой поставлю.

Бабушка вышла и вскоре вернулась со внушительной «клизмочкой», напомнившей мне своими размерами Железноводск и сахарную вату.

— Ложись на бочок, как волчок. Сейчас с ромашечкой чок-чок — и температура упадет. Во бабка у тебя, стихами шпарит. Ну, давай поворачивайся. — И бабушка смазала наконечник из блестящей продолговатой баночки.

Пока ромашка вымывала токсины, я размышлял о судьбе. «Вот цветы, — думал я, любуясь значительностью своих мыслей. — Ромашки. Они могли бы расти в поле, на них могли бы гадать «любит, не любит», а что с ними вместо этого стало? Вот она, судьба, про которую так часто говорит бабушка. А какая судьба может постичь меня?»

Тут клизмочка кончилась, и размышления о судьбе прервались более важным мероприятием, после которого температура у меня действительно упала.

— Бабонька, дай мне яблочко погрызть, — попросил я.

Бабушка пошла в другую комнату за яблочком, а я стал думать, о чем бы попросить ее еще. Болея, я часто просил бабушку о том, что мне на самом деле не было нужно, или специально говорил, что у меня заложило нос или болит горло. Мне нравилось, как бабушка суетится около меня с каплями и полосканьями, называет Сашенькой, а не проклятой сволочью, просит дедушку говорить тише и сама старается ходить неслышно. Болезнь давала мне то, чего не могли дать даже сделанные без единой ошибки уроки, — бабушкино одобрение. Она, конечно, не хвалила меня за то, что я заболел, но вела себя так, словно я молодец, достойно отличился и заслужил наконец хорошего отношения. Хотя иногда доставалось мне и больному...

— Сволочь, подлец! — закричала бабушка, вернувшись безо всякого яблочка. — Я ломаю голову, отчего ты заболел, а ты заболел оттого, что ты идиот!

— Баба, не ругайся. Я больной, — напомнил я, призывая соблюдать правила.

— Ты больной на голову, тяжело и неизлечимо! Какого черта ты выходил на балкон?

— Я не выходил...

— Большего кретина днем с фонарем не сыщешь. Только отболел — и выперся на мороз. Конечно, не оделся...

— С чего ты взяла, что я выходил на балкон? Я и не подходил к нему.

— А следы откуда там на снегу? С прошлой зимы, да?

«Ах черт! — понял я. — Яблочко погрызть захотелось! Они лежали на подоконнике, бабушка подошла и увидела следы, которые еще не замело. Что же сказать ей?»

— Бабонька, да это не мои следы, — сказал я.

— А чьи? Чьи они?

— Все очень просто! Ты не волнуйся. Понимаешь, с верхнего балкона на наш упали тапочки...

— И что?!

— ...и оставили следы.

— Белые бы тебе тапочки упали! Лежали бы там до моего прихода. Зачем тебе надо было брать их?

— Я не брал! Говорю же тебе, я на балкон не выходил.

— Не надо считать бабушку идиоткой! Я еще из ума не выжила, а у тебя его, видно, с рожденья не было. Если они упали, а ты их не брал, так где же они?

— Где... Их вороны унесли. Они, знаешь, блестящее любят, а тапочки блестящие были, серебристые... С помпончиками.

— Помпончики... Брешешь, как сивый мерин. Ну ничего, скоро придет дедушка, мы вместе разберемся.

Дедушка не заставил себя долго ждать и прямо с порога был посвящен в курс событий.

— Сенечка, этот сволочной идиот снова заболел. Я его оставила одного, а он выперся на балкон за какими-то тапочками. Говорит, что не выходил и тапочки унесли вороны, а я думаю — выкручивается. Сам скорее всего вышел и кинул ими в кого-нибудь.

— Где тапочки? — спросил дедушка.

— Чем ты слушаешь, бревно?! Только что объясняла. Он говорит, что их унесли вороны...

— Чего ты орешь сразу? Я спрашиваю, где мои тапочки?

— Наверное, эта сволочь и их выкинул! Зачем ты, гад, дедины тапочки выкинул, а?! — крикнула бабушка из коридора.

— А, вот они. — Дедушка нашел свои тапочки, сел и попросил бабушку рассказать все сначала.

— Глухим, Сенечка, два раза не повторяют. В общем, упали на балкон сверху тапочки. Этот кретин за ними вышел, а сам врет, что не выходил и что их вороны унесли.

— Врет, конечно, — согласился дедушка. — А тапочки хорошие?

— Господи, за что я живу с идиотами?! Тебе же объясняют, что он их выкинул!

— Ну и черт с ними, Нина. У тебя что, тапочек нет?

— Вот ведь тугодум, наказанье господнее! Да не в том дело, что он их выкинул, а в том, что вышел на балкон раздетый и заболел.

— Заболел? У-у-у...

Дедушка вошел в комнату, где лежал я.

— Как же ты так? — спросил он.

— Как всегда, — ответила за меня вошедшая следом бабушка. — Это же ненормальный ребенок. То набегается и вспотеет, то в цемент угодит. Теперь вот на балкон вылез. А эта сволочь сверху тоже хороша. Кто же кидает с балкона тапочки, если внизу больной на голову ребенок живет? А если бы он за ними вниз прыгнул?

— Да, эгоисты. Только о себе думают, только о себе, — сказал дедушка и сел на край моей кровати. — Анекдот хочешь?

— Давай.

— Муж домой из командировки вернулся, а у жены любовник...

— Никого не интересуют твои похабные анекдоты, — перебила бабушка и, решив, видимо, что рассмешить меня должна она, весело заговорила, указывая пальцем в окно: — Смотри, Сашенька, воробышек полетел! Покакал, а попку не вытер. — И бабушка залилась смехом.

— Острячка, — одобрил дедушка. — Какой воробышек в одиннадцать ночи?

— Ну и что ж... Может, ему приспичило, — сказала бабушка и, немного сконфуженная, вышла из комнаты, бормоча, что с нами потерять счет времени ничего не стоит.

Пользуясь бабушкиным уходом, я попросил дедушку досказать прерванный анекдот.

— Я тебе другой расскажу, — встрепенулся дедушка. — Сожми зубы и скажи: «Я не ем мяса».

Я сжал и, к своему удивлению, довольно членораздельно поведал дедушке, что мяса не ем.

— Ну ешь дерьмо! — засмеялся дедушка, обрадовавшись удачно получившейся шутке. — Ладно, поспи, что ли.

И дедушка, очень довольный собой, пошел на кухню. По раздавшемуся через минуту крику: «Земли бы ты сырой наелся!» — я понял, что свою хохму он опробовал и на бабушке.

С удовольствием внял бы я дедушкиному совету поспать. Под одеялом было нестерпимо жарко, а без него холодно от озноба. Ко всему стало тяжело дышать, словно кто-то невидимый и тяжелый сел мне на грудь и, просунув между ребер руки, сжал холодными липкими пальцами легкие. Тонкие посвистывания неслись теперь из моей груди. На их звук пришла бабушка.

— Что, заинька, дышать трудно? — сказала она и потрогала мои ступни. — Ноженьки холодные. Дам тебе грелочку.

Грелка, обернутая полотенцем, легла к моим ногам. Знобить стало меньше.

— Свистишь как, детонька. Чем бы тебе снять астматический компонент? Порошок Звягинцевой Галина Сергевна только завтра принесет. Может, неотложку вызвать? Приедут, снимут приступ. Очень трудно дышится?

— Ничего, баб. Ты погаси свет, может, я усну, а завтра видно будет.

— Раздражает свет, да, лапочка? Сейчас погашу.

— Как он? — спросил дедушка, заглянув в комнату.

— Иди, Сенечка, иди ложись. Ты все равно не поможешь ничем, только раздражать будешь и меня, и его.

Дедушка вышел. Бабушка выключила лампу и легла рядом со мной.

— Спи, родненький, — шептала она, гладя меня по голове. — Завтра Галина Сергевна придет, снимет тебе приступ, поставит баночки. А пока спи. Во сне болезнь уходит. Я, когда болела, всегда старалась уснуть. Может, дать тебе валерьяночки? Или водички горячей в грелочку подлить...

Бабушкин голос отдалился. Сон медленно, но верно приходил ко мне.

«Проснуться бы завтра», — думал я, засыпая.

Проснулся я от громкого деловитого голоса Галины Сергевны. Сон, хотя длился, казалось, несколько минут, уходил медленно, словно по одному отрываясь многочисленными корешками.

— Здравствуй, Саша, — сказала Галина Сергевна, быстро входя в комнату. Стук каблуков ее сапог неприятно отдавался в голове. — Что ж ты опять заболел?

— Ах, Галина Сергевна, — сказала бабушка. — Несчастный страдалец этот ребенок. Есть мудрая поговорка: за грехи родителей расплачиваются дети. Он расплачивается за грехи своей матери-потаскухи...

Бабушка принялась рассказывать про грехи моей матери, выбирая те, о которых Галина Сергевна не слышала в предыдущие визиты, и дополняя известные ей новыми подробностями. Галина Сергевна прервала ее и стала меня слушать.

— Ну, что с ним? — спросила бабушка. — Опять бронхит?

— Да, Нина Антоновна. Вы уж его знаете не хуже любого врача.

— Если не лучше, — горько усмехнулась бабушка. — Я-то его каждый день наблюдаю.

Галина Сергевна начала объяснять, как меня лечить. Смысл слов до меня не доходил. От головной боли я не улавливал между ними связи, но знал, что ничего нового Галина Сергевна не говорит, и бабушке, которой давно известны все способы лечения, не терпится продолжить перечень грехов моей мамы. Перечень был продолжен, едва Галина Сергевна замолчала.

— ...А ребенка бросила на мою больную шею, — уловил я связь между несколькими словами.

— Нина Антоновна, вот порошки Звягинцевой, дайте ему прямо сейчас. Бактрим дадите после еды, — сказала Галина Сергевна и стала готовить банки.

Банки оставили на моей спине набухшие темно-лиловой кровью синяки. В комнате пахло эфиром, горелой ватой и кремом. Ледяные пальцы, сжимавшие легкие, потеплели и слегка разжались. Бабушка растерла мне спину и накрыла одеялом. Потом она достала из тумбочки блестящий продолговатый предмет и, взяв Галину Сергевну за локоть, зашептала ей в ухо:

— Галина Сергевна, милая, возьмите. Вы наше солнышко, никогда в беде не оставляете. Берите, вы мне только приятно сделаете.

Бабушка настойчиво протягивала смущенной Галине Сергевне блестящую баночку, которая показалась мне странно знакомой. Я еще вчера видел ее в руках у бабушки. Что это? В голове блеснула мысль...

— Баб, ты ж этим вчера наконечник клизмы смазывала, — удивленно сказал я.

Галина Сергевна, взявшая было баночку, замахала руками и стала быстро прощаться:

— До свидания, Нина Антоновна. Саша, до свидания.

Вслед за этим хлопнула дверь.

— А ты полный кретин, — сказала бабушка, пряча баночку на место. — Неужели ты мог подумать, что я буду смазывать губной помадой наконечник клизмы, а потом дарить ее врачу?

— Кого, клизму?

— Идиот! Помаду! Ну ладно, подарю Елене Михайловне. Надо будет показать ей твои анализы, вот и подарю... Как тебе, полегче?

— Дышать лучше, но голова болит.

— Налью тебе еще грелочку, а через какое-то время тебе надо будет поесть, чтобы бактрим выпить. Его нельзя на пустой желудок.

— Не хочу есть.

— Надо. Когда человек болен, он есть не хочет, но немножко надо. Я тебе кашки пшенной сделаю.

Легкие понемногу отпускало, хрипы стали тише, кто-то с холодными пальцами слез с груди. Я снова заснул.

— Сашуня, кашки поешь, — сказала бабушка, поставив на тумбочку рядом со мной тарелку пшенной каши. — Давай сначала ручки и мордашку вытрем влажным полотенчиком. Ну, привстань.

Я вытер руки и лицо влажным полотенцем, потом сухим.

— Давай, лапонька, ложку за бабушку... За дедушку... За маму пусть черти половниками смолу глотают. За Галину Сергеевну. Из-за тебя, идиотика, обиделась, бедная. Еще ложечку съешь за нее, чтоб не обижалась.

Я доел кашу и, обессилев, откинулся на подушку. На лбу выступила прохладная испарина, но это было приятно. Бабушка дала мне таблетки, поправила подушку, спросила:

— Что тебе еще сделать?

— Почитай, — придумал я.

Спустя несколько минут бабушка с книгой в руках сидела у меня на кровати. Она вытерла мне лоб и стала читать. Мне было не важно, какую она взяла книгу. Смысла слов я не улавливал, но было приятно слушать голос тихо читавшей бабушки. Я и не думал, что, когда она не кричит, голос у нее такой приятный. Он успокаивал, отгонял головную боль. Хотелось слушать как можно дольше, и я слушал, слушал и слушал...

Через месяц приехавшая в четвертый раз Галина Сергевна посмотрела меня и сказала:

— Через пару дней может идти в школу. Справку я выпишу. На сколько его от физкультуры освободить? На две недели пишу, хватит?

— Ему еще две недели уроки догонять, а на физкультуру он все равно не ходит. Но пишите две для формы, — улыбнулась бабушка.

Галина Сергевна оставила на столе белый прямоугольник справки и поспешила к двери.

— До свидания, Нина Антоновна. Саша, всего хорошего. Надеюсь, больше болеть не будешь.

— Вашими устами да мед пить, — сказала бабушка и, выйдя с Галиной Сергевной на лестничную клетку, прикрыла за собой дверь.

— От чистого сердца, Галина Сергевна... Мне только приятно будет... — услышал я обрывки фраз.

Остается добавить, что отведать меда уста Галины Сергевны скорее всего не успели. Через две недели, догнав уроки, я набрал во дворе полные валенки снега и с насморком и кашлем снова ожидал ее прихода.

ССОРА

Наверное, название этого рассказа покажется странным — бабушка ругалась с нами каждый день, крики ее не раз уже звучали со страниц этой повести, и посвящать еще целую главу тому, что вроде бы уже описано, на первый взгляд излишне. Дело в том, что ссора в моем понимании — это нечто большее, чем просто крик. Крик был правилом. Ссора — все-таки исключением.

Обычно бабушка с дедушкой ругали вдвоем меня. Бабушка кричала, называла меня разными словами, а дедушка соглашался с ней и вставлял что-нибудь вроде:

— Да, конечно. О чем ты говоришь! Не то слово...

Высказав мне все, бабушка с дедушкой заявляли, что не хотят со мной разговаривать, я уходил в другую комнату и, слушая их спокойные голоса, со злостью думал: «Они-то дружат!»

Но через некоторое время спокойные голоса повышались, доносились слова «гицель» и «предатель», и я понимал, что быть в опале настала очередь дедушки. Я смело выходил из комнаты и шел прямо на крик, зная, что бабушке необходимо мое одобрение и ради него она простит мне любую вину. Отделывая дедушку, бабушка подбирала все новые выражения, очень смешно показывала, какой он дурак, и поглядывала на меня, словно спрашивая: ну, как я его?

И хотя дедушку мне было жалко, сдержать восхищенные смешки я не мог. Чем-то это напоминало санаторий, когда Лордкипанидзе бил пендали, а мы смеялись над его комментариями.

Опальный дедушка брал шапку и уходил. Тут я всегда ему завидовал. Он мог уйти от криков в любую минуту, я нет. И если после его ухода бабушка опять принималась за меня, мне приходилось терпеть до конца, и я никуда не мог от этого деться. Подобные сцены происходили часто, были привычны, и я ни в коем случае не отношу их к ссорам, которые выглядели куда серьезней, назревали несколько дней и, разразившись, надолго оставались в памяти.

Ссора, о которой я расскажу, назревала три дня. Началось все с того, что в доме завелась мышь. Мышей бабушка очень боялась и, увидев, как серый комок деловито проспешил из угла под холодильник, забросила ноги на стол и издала такой вопль, что с подоконника взвилась в небо пара ворковавших голубей.

— Сенечка! Мышь! Мышь! Мышь, твою мать!

— Что такое? — прибежал, шаркая тапочками, дедушка.

— Там! Под холодильником! Мышь! Мышь!

— Ну и что?

Такое безразличие поразило бабушку в самое сердце. Она, наверное, думала, что дедушка станет прыгать по кухне, кричать: «Мышь! Мышь, твою мать!» — бросится поднимать холодильник, а он даже не удивился. Бабушка стала плакать, сказала, что всю жизнь бьется как рыба об лед, что никогда не видела помощи и участия, и закончила громогласными проклятиями.

Дедушка пошел к соседям и вернулся с распухшим пальцем, который прибило соседской мышеловкой при демонстрации ее действия. От боли дедушка разволновался, мышеловку забыл и, упрекаемый в тугодумии и эгоизме, отправился за ней еще раз. Второй палец он прибил, когда заряжал мышеловку эдамским сыром.

Мышь, по словам бабушки, оказалась умнее дедушки, стащила эдамский сыр еще до ночи и спряталась с ним где-то за шкафом в спальне, нарушая тишину сосредоточенным шуршанием. Бабушка сказала, что не сможет спать от страха, и потребовала выжить ее сегодня же. Мышеловку сочли бесполезной, дедушка обзвонил соседей в поисках иных рецептов, и кто-то посоветовал ему забить в плинтусы стекловату с уксусом. Стекловату дедушка принес из бойлерной, уксус нашел у бабушки и, отодвинув шкафы с кроватями, забивал плинтусы до часа ночи. Руки у него покрылись коричневыми пятнами и чесались, но шорох прекратился.

Только мы легли спать, в углу зашуршало снова. Бабушка запустила тапочкой. Мышь насмешливо завозилась.

— Сенечка! Опять она скребется! Сделай что-нибудь! — закричала бабушка.

Дедушка уже лег и выложил в стакан вставные челюсти, но встал и снова отодвинул шкаф. Наглая мышь успела, однако, перебраться за трюмо и шуршала оттуда. Почесывая руки, дедушка предложил поставить опять мышеловку. Чудом не прибив палец в третий раз, он зацепил курок на волосок от спуска и поставил ее поближе к шороху. Мышь затаилась. На всякий случай я зарядил маленький, стрелявший наточенными спичками лук и взял его в кровать. Я думал, что мышеловка все равно не сработает, но мышь выйдет за сыром, и тогда я застрелю ее. Уставившись в темноту, я проверял пальцем острие спички, натягивал резиновую тетиву и чувствовал себя настоящим охотником. Мышь не вышла. Я заснул.

Проснулся я от торжествующего «ага!» дедушки. Под мощной пружиной мышеловки выгибался надвое перебитый мышонок.

— Ну что я говорил?! Вот и все! — радостно сказал дедушка и показал мышонка бабушке.

— Садист... — ахнула она, и из глаз ее ручьем полились слезы. — Что ж ты сделал, садист?

— Что? — растерялся дедушка.

— Зачем ты убил его?!

— Ты ж просила!

— Что я просила? Разве я могла такое просить?! Я думала, его чуть-чуть только прижмет, а его пополам перешибло! И маленький мышонок, совсем... — плакала бабушка. — Ладно бы хоть большая мышь, а то крошка. Садист! Всегда знала, что садист! И смотришь, радуешься! Радуешься, что живое существо уничтожил! Тебе бы так хребет переломали! Куда ты его?

— В унитаз.

— Не смей его туда!

— Что ж мне, похоронить его? — не сдержался дедушка.

Я хотел предложить похоронить мышонка за плинтусом, но вспомнил, что дедушка забил туда стекловату, и промолчал. Гибель несчастной крошки бабушка оплакивала все утро, а потом ее отвлекло другое происшествие.

— Сеня, ты когда шкаф двигал, триста рублей не находил? — спросила она встревоженно.

— Ну откуда? Наверное, если б нашел, сказал бы.

— Украли, значит.

Все деньги, которые приносил дедушка, бабушка распихивала по одной ей ведомым тайникам и часто потом забывала, сколько и куда положила. Она прятала деньги под холодильник, под шкаф, засовывала в бочонок деревянного медведя с дедушкиного буфета, клала в банки с крупой. В книгах были какие-то облигации, поэтому бабушка запрещала их трогать, а если я просил почитать, то сперва перетряхивала книжку, проверяя, не завалялось ли что. Как-то она спрятала в мешок с моей сменной обувью кошелек с восемьюстами рублями и искала его потом, утверждая, что в пропаже повинна приходившая накануне мама. Кошелек мирно провисел неделю в школьном гардеробе, а гардеробщицы не знали, что под носом у них куда более ценная пожива, чем украденная однажды с моего пальто меховая подстежка.

Забывая свои тайники, бабушка находила сто рублей там, где ожидала найти пятьсот, и доставала тысячу оттуда, куда, по собственному мнению, клала только двести. Иногда тайники пропадали. Тогда бабушка говорила, что в доме были воры. Кроме мамы, она подозревала в воровстве всех врачей, включая Галину Сергевну, всех изредка бывавших знакомых, а больше всего — слесаря из бойлерной Рудика. Рудик у нас дома никогда не был, но бабушка уверяла, что у него есть ключи от всех квартир, и когда никого нет, он приходит и всюду шарит. Дедушка пытался объяснить, что такого не может быть, но бабушка отвечала, что знает жизнь лучше и видит то, чего не видят другие.

— Я видела, он в паре с лифтершей работает. Мы вышли, он с ней перемигнулся — и в подъезд. А потом у меня три топаза пропало. Было десять, стало семь, вот так-то!

На вопрос дедушки, почему же Рудик не взял все десять, бабушка ответила, что он хитер и тащит понемногу, чтобы она не заметила. Оставшиеся топазы бабушка решила перепрятать, достала их из старого чайника, зашила в марлю и приколола ко внутренней стороне своего матраца, приговаривая, что туда Рудик заглянуть не додумается. Потом она забыла про это, вытряхнула матрац на балконе, а когда хватилась, мешочка с привезенными дедушкой из Индии топазами простыл под нашими окнами и след.

Пропажу лежавших якобы под шкафом трехсот рублей бабушка тоже привычно свалила на Рудика.

167

— Нас позавчера не было, вот он и спер, — убежденно сказала она. — Ты когда к нему в бойлерную ходил, не обратил внимания, как он на тебя смотрел? Не насмешливо? Насмешливо смотрел, знаю. Ты просто не заметил. «Давай, давай, ходи ко мне, — думает. — Я вас хорошо нагрел. И на камушки, и на денежки».

— Ну, ты сама слышишь, что городишь? — вскипел дедушка. — Сколько можно про этого Рудика твердить? Откуда у него ключи?

— Вытащил у тебя из кармана да сделал слепок. А потом обратно положил. Они мастера такие, им на это минуты не надо.

— Ерунду несешь, слушать тошно!

— Не слушай! Только по жизни выходит, я права, а ты в дураках. Осел упрямый, никогда очевидного замечать не хочешь. Я тебе говорила, что Горбатов твой жулик, ты не верил. Лучший друг, лучший друг... Ну и поставь себе на жопу горчичники, которые он тебе выписал!

Историю с горчичниками я знал. У дедушки был друг Горбатов, который вызвался хорошо продать старую дедушкину машину. Машину он продал хорошо, но вместо денег принес горчичники и, ахнув, сказал, что его обманули. Бабушка торжествовала свою правоту, Горбатов стал врагом, а дедушка с тех пор надежно закрепился в упрямых ослах. Мало что могло по-настоящему вывести его из себя, но упрек в упрямстве с упоминанием Горбатова при неизменном бабушкином «я тебе говорила» доводил его до белого каления. Этого трезубца он не выносил.

— Что, пошел ставить? — спросила бабушка, когда дедушка встал с дивана и, ни слова не говоря, взялся за шапку. — Давай-давай, автомобилист! Больше десяти минут не держи. Жопа распухнет, клизму делать не сможешь!

Дедушка хлопнул дверью и ушел до вечера.

А на следующий день случилось то, что было в моем представлении настоящей ссорой. С самого утра бабушка начала плакать, вспоминать свою неудавшуюся жизнь и проклинать за нее дедушку. Она говорила, что этой ночью видела во сне разбитое зеркало, и теперь уж, видно, недолго осталось нам терпеть ее присутствие.

— Ну тебя к черту, ханжа проклятая! — обозлился дедушка. — Я про это зеркало пятый раз слышу! Поновей бы что придумала!

— Не кричи, Сенечка, — робко попросила бабушка. — Зачем ссориться напоследок? Долго я не задержусь. Мне б до лета только дожить, зимой хоронить дороже.

— Ты это каждую зиму говоришь!

— А ты заждался, да? Зажда-ался... Моло-денькую хочешь. Ну так на тебе, не дождешься! — И, сунув дедушке под нос фигу, бабушка встала с кровати.

На этом дедушка отправился в магазин.

— Как всегда! — обрадованно заключила бабушка, заглянув в принесенную им сумку. — То ли глаз у тебя нет, то ли мозга! Что это за капуста? Ее свиньям только давать, а не ребенку! И конечно же три кочана! А картошка! Горох просто...

— Нин, хватит на сегодня, а... — попросил дедушка.

— Сколько талдычу одно и то же, — продолжала бабушка, не замечая его просьбы, — лучше купи меньше, но хорошего. Нет, как же, только наоборот! Кофточек купишь на три номера меньше, зато шесть. Груши — все как камень, зато десять кило. Всю жизнь по принципу: дерьма, но много!

— Нин, хватит. Мне в овощном с сердцем плохо было, и устал я...

— Устал! Съездить на машине за продуктами — все, что ты можешь. А как я всю жизнь на больных ногах ношу, устаю, тебя не интересует? Я на машине не езжу! Сорок лет одна, без помощи! Одного ребенка вырастила, второго выхаживаю — сама загибаюсь, а ты только знаешь — концерты, машина, рыбалка и «устал»! Проклинаю день и час, когда уехала из Киева! Дура была, думала — мужик. Убедилась, что дерьмо, и сорок лет каждый день убеждаюсь. За что ж такая кара, Господи?

Дедушка не успел еще раздеться, нахлобучил шапку, которую держал в руке, и пошел к двери.

— Что, правда глаза колет? — кричала бабушка, следуя за ним. — Куда собрался, потаскун?

— Пойду пройдусь... — выдохнул дедушка, открывая дверь.

— Иди, иди. Кот безъяйцый! Тебе и пойти-то некуда. Друзей даже нет, как у мужиков нормальных. Один портной этот — тряпка хуже бабы, да и тот, если б ты его на рыбалку не возил, срать бы с тобой рядом не сел. К нему пойдешь? Давай. Он тебя тоже, как Горбатов, сделает!

Дедушка задержался в дверях и посмотрел бабушке в глаза.

— Сделает, сделает, помянешь мое слово. Таких, как ты, сам Бог сделать велит! Кому ты нужен? Даже Саша тебя за человека не считает...

Лицо у дедушки исказилось, и он ткнул бабушку кулаком в лицо. Несильно, словно отпихнул от себя.

— Ну, раз не нужен, больше ты меня, сволочь, не увидишь, — сказал он и хлопнул дверью так, что с косяка посыпались кусочки облупившейся краски.

Зарыдавшая бабушка пошла в ванную. Зубы у нее были расшатаны, и дедушкиного тычка оказалось достаточно, чтобы на деснах выступила кровь. Кровь сочилась и, смешиваясь со слюной и слезами, капала с подбородка розовыми тянучими каплями. Мне было страшно. Я сам хотел иногда назвать бабушку сволочью, но боялся и не смел. Один только раз, когда у меня неожиданно прихватило на кухне живот, а бабушка разговаривала в комнате со Светочкиной мамой, я подумал, что можно попробовать. Я скорчился за столом и стал стучать ложкой, убеждая себя, будто живот болит так, что я не могу даже крикнуть. Я хотел, чтобы бабушка подошла ко мне не сразу, увидела, в каком беспомощном состоянии я так долго по ее вине нахожусь, и тогда использовать это как повод. К тому же я знал, что больному бабушка ничего мне не сделает, как бы я ни назвал ее и как бы ни провинился. Стучать ложкой пришлось долго и даже надоело. Наконец появилась бабушка:

— Что ты стучишь?

Продолжая корчиться, я выронил ложку из якобы ослабевшей руки, посмотрел на бабушку, стараясь копировать тот ненавидящий, исподлобья взгляд, которым она смотрела иногда на меня, и прохрипел:

— Ну, сволочь, я тебе этого никогда не забуду.

Я ожидал, что бабушка всплеснет руками, ахнет и засуетится около меня, чувствуя себя виноватой, но она просто спросила:

— Что с тобой?

С досадой отмечая, что живот проходит, я объяснил, в чем дело. Бабушка дала мне разжевать таблетку активированного угля и вернулась к телефону.

— Сволочью меня обозвал, каково? — услышал я. — Не знаю, что-то с животом, а я сразу не подошла. Да что на него обижаться? Разве он, глупый, понимает, что говорит. Живот прошел вроде...

Бабушка была права наполовину. Я действительно чувствовал себя глупо, но как раз потому, что прекрасно понимал нарочность своих слов. Обзывать бабушку специально я больше не пробовал, а во время ссор так ее боялся, что мысль об отпоре даже не приходила мне в голову. А дедушка не побоялся, ответил... Но, как ни странно, сочувствовал я на этот раз бабушке.

Бабушка смыла с лица кровь и, продолжая плакать, уткнулась в полотенце. Я подошел к ней, обнял сзади и сказал:

— Бабонька, не плачь, пожалуйста. Ради меня, ладно?

— Я не плачу, котик. Я уже все давно выплакала, это так... — ответила бабушка и побрела к кровати.

Я не настолько сочувствовал бабушке, чтобы обнимать ее и называть бабонькой, но решил, что раз уж сочувствую хоть чуть-чуть, должен это все-таки сделать. Еще я надеялся, что за проявленное к ней сегодня участие завтра или послезавтра мне от нее меньше достанется.

Плакать бабушка не перестала. Она улеглась на кровать с полотенцем и прикладывала его к заливаемому слезами лицу каждые несколько секунд. Подбородок у нее время от времени сводило судорогой.

— Не плачь, баба, — снова попросил я.

Бабушка ничего не ответила. Полными слез глазами она смотрела на висевшее на стене украшение — чеканный кораблик, от которого вниз свешивались пять ниток янтаря. На среднюю нитку, кроме янтарных бляшек, были нанизаны две маленькие рыбки.

— А почему наш кораблик стоит и никуда не плывет? — спросила вдруг бабушка нараспев, словно начала читать сказку. — Потому что с него сбросили сети. А в сети попались только две рыбки. Эти рыбки мы с тобой, Сашенька. Нас обоих предали, нас окружают предатели. Тебя мать предала, променяла на карлика. Меня дедушка всю жизнь предавал. Ты думаешь, я всегда такая старая была, страшная, беззубая? Всегда разве кричала так и плакала? Жизнь меня такой, Сашенька, сделала. Хотела актрисой быть, папочка запретил. Сказал, работать надо, а не жопой вертеть. Так и стала секретаршей в прокуратуре.

Бабушка высморкалась в полотенце, поискала на нем сухой угол, приложила к глазам и продолжила уже спокойнее:

— А потом с дедушкой твоим познакомилась. Угораздило меня на тот стадион пойти! Я тогда встречалась с одним парнем, он меня на футбол пригласил, а сам не пришел. Сижу одна, злая. Рядом два молодых человека — актеры из МХАТа, на гастроли приехали. Один красавец высокий — актер полное говно, и наш «любонька» сидит. Мордунчик у него красивый был, что говорить, на щеках ямочки. Улыбка добрая, открытая. Дала телефон свой рабочий, стали встречаться каждый вечер. Он меня водил на спектакли свои, я его на Владимирскую горку и на пляж. Пришло время ему уезжать, он и говорит: «Давай я на тебе женюсь и в Москву увезу». А я влюбилась уже! «Иди, — говорю, — к родителям, делай предложение». Не знала, дура, что он на спор женится. У него в Москве баба была на десять лет старше его — он с ней поругался, поспорил, что в Киеве лучше найдет. И нашел идиотку! Расписались, показали отцу свидетельство, поехали. Отец весь перрон за поездом бежал, кричал: «Доченька, не уезжай!» Как чувствовал, что ничего я, кроме слез, не увижу! Нельзя было мне родителей бросать, уезжать из Киева. Дура я была. Будь я проклята за это!

175

Бабушка снова расплакалась. Я вдруг вспомнил, что утром сделал из соли и спичечных головок смесь, которую в пылу ссоры забыл на подоконнике в дедушкиной комнате. Бабушка могла успокоиться, пойти смотреть телевизор, и тогда дело обернулось бы плохо. Бабушкин рассказ надолго прервался всхлипываниями, я понял, что могу отойти, и поспешил в дедушкину комнату, чтобы спрятать нелегальную смесь под буфет. Потом я вернулся в спальню. Продолжая плакать, бабушка уже разговаривала по телефону:

— ...и привез меня, Вера Петровна, в девятиметровую комнату, — говорила она Светочкиной маме. — Четырнадцать лет мы там жили, пока квартиру не получили. Мука, Вера Петровна, с тугодумом жить! Я пытливая была, все хотела узнать, все мне было интересно. Сколько просила его: «Давай в музей сходим, на выставку». Нет. То времени у него нет, то устал, а одна куда я пойду — чужой город. Только на спектакли его мхатовские и ходила. Правда, было что посмотреть, МХАТ тогда славился, но скоро и туда отходилась — Алешенька родился.

Бабушка высморкалась в полотенце и продолжала:

— И знаете, есть мужики, которые недалекие, но в быту хозяйственные. Этот во всем леномыслящий был. Через дорогу мебельный магазин, можно было нормальную мебель купить. И деньги были! Нет. Пришел к соседям, пожаловался: «Вот жену привез, мебель надо какую-то покупать». Соседи ему: «Так купите у нас диван». Он купил, припер с чердака в комнату. Я смотрю, что такое — чешусь вся... Клопы! Я их и кипятком шпарила, и еще чем-то травила, еле вывела. И так всю жизнь: все дерьмо какое где продавалось, ему впихивали! Продавцы, наверно, свистели друг другу — вон олух идет! Потом уже, когда на этой квартире жили, привез мебель из Германии. В Москве за рубли любая мебель была. Так он тратил валюту, платил за перевозку, да еще год она стояла на каком-то складе, пока мы квартиру получали. И была бы мебель, а то саркофаги дубовые, до сих пор привыкнуть к ним не могу... Да, это здесь уже, на Аэропорте. А та комната была рядом с улицей Горького. Девять метров. Четырнадцать лет в этой душегубке жили. И ладно бы вдвоем и с ребенком — так то сестра его приезжала из Тулы по делам, у нас останавливалась, то племянница, то брат... Конечно, коммунальная! Соседи были Розальские. Розальский этот тоже с Сеней в театре работал, только заслуженный был. Они втроем в двух комнатах жили по двадцать восемь метров. Мы с ними договаривались, кто будет квартиру убирать, так они заявляли: «Вы должны убирать в три раза больше, потому что к вам родственники приезжают толпами». Сидим, пьем чай с гостями, вваливается без стука жена его: «Нина, от вас кто-то ходил в туалет, накапали на пол! Пойдите затрите!» А от нас и не выходил никто! Но пошла, затерла. Вот так, Вера Петровна, мечтала стать актрисой, стала секретаршей, а потом домохозяйкой. Ничего карьера? Сидела только с этим остолопом, роли долбила. Он свою никак не выучит, а я уже за всех наизусть — и за Чацкого, и за царя Бориса, и за черта в ступе. Вот все мое актерство.

А потом война началась. Москву бомбить начали, весь его театр отправлялся в эвакуацию в Алма-Ату, а он в Борисоглебск уезжал в каких-то киносборниках военных сниматься. И говорит мне: «Поедешь с ребенком в Алма-Ату, я приеду потом». На коленях молила: «Не надо, Сенечка! В доме подвал, от бомбежки есть куда прятаться. Я тебя дождусь, вместе поедем!» Ударил кулаком по столу: «Я решил, и так будет!» Характер проявить решил! Тряпки слабовольные всегда самоутверждаться любят. В теплушках везли нас в эту Алма-Ату, как скотину. Приехали, а мне места жить не дают — я же не в штате. Поселили в каком-то подвале с земляным полом, холодным как лед. Я там себе и придатки застудила, и все на свете. А потом и оттуда выпихивать стали, потому что уборщице какой-то места не хватило. Я говорю: «Куда мне идти, я же с ребенком годовалым!» «Ну раз с ребенком, — говорят, — поживи пока». Милость оказали, в подвале оставили! И тут Алешенька заболел... Какой мальчик был, Вера Петровна, какое дите! Чуть больше года — разговаривал уже! Светленький, личико кукольное, глаза громадные серо-голубые. Любила его так, что дыхание замирало. И вот он в этом подвале заболел дифтеритом с корью, и в легком нарыв — абсцесс. Врач сразу сказал: он не выживет. Обливалась слезами над ним, а он говорит мне: «Не плачь, мама, я не умру. Не плачь». Кашляет, задыхается и меня утешает. Бывают разве такие дети на свете?! На следующий день умер... Сама несла на кладбище на руках, сама хоронила. А раз ребенка нет больше, из подвала того меня выперли, дали уборщице место. Переночевала ночь в каком-то общежитии под кроватью, решила ехать в Борисоглебск к Сене.

Продала все вещи свои на базаре, все, что от Алешеньки осталось: рейтузики, кофточки. Купила на все деньги чемодан водки. Она в Алма-Ате дешевая была, и мне посоветовали так сделать, чтобы в Борисоглебске продавать ее потом, менять на еду, на хлеб. Осталось в кармане сто пятьдесят рублей, поехала. От этого чемодана, от тяжести порвала себе все внутри, началось кровотечение. А Сеня в

Борисоглебске колхозом жил. Он, два друга его и две какие-то курвы сняли вместе две комнаты. Там одна Валька лезла на него, но он, как мне потом сказали, отвадил ее, и она с Виталием таким стала жить, а Сеня один. Тут я с чемоданом водки и притащилась, кровью исходя. Валька сказала, что в Борисоглебске есть хороший гинеколог, она мне может устроить прием, будет стоить сто рублей. А у меня были последние сто пятьдесят. Водку-то, конечно, всем колхозом выжрали, продать я ничего не успела. Пришла к этому врачу, он меня посмотрел, спросил: «У вас есть дети?» А я только что сына похоронила!!! «Так вот, — говорит, — у вас больше никогда не будет детей». Двадцать три года мне, Вера Петровна, и, похоронив сына, такое услышать! Потом — понадеялась на его слова — забеременела сволочью этой — дочерью. Но это в Москве уже после войны.

Дочь родила, пошла опять к гинекологу, мне там сказали, что теперь уж точно детей не будет. А сволочь эта болела не переставая, и, понятно, как я над ней тряслась. В пять лет желтуха инфекционная. Подобрала во дворе кусок сахара — и в рот. А по двору крысы бегали с нее ростом. Я увидела, благим матом кричу: «Плюнь, Оленька, плюнь!» Смотрит на меня, сука, и мусолит этот сахар во рту. Я ей рот разжала, пальцами кусок этот вынула, но уж все, заболела... Все деньги, все продукты меняла на базаре на лимоны, поила ее лимонным соком с глюкозой — выхаживала. Сама одну манную кашу ела, и ту только, что после нее останется. Сварю каши кастрюльку, она сожрет, а я хлебом кастрюлю оботру, съем, вот и вся еда моя. Выходила сволочь себе на голову... Ничего, кроме ненависти, от нее не дождалась. Я все ей отдавала, снимала последнее, она хоть бы раз спросила: «Мама, а ты ела?» Видит, я один хлеб жру, предложила бы: «Возьми, мама, каши половину». Я бы все равно скорее смолу пить стала, чем у нее забрала, но предложить же можно. Цветка на день рождения ни разу не принесла. А потом за свой же эгоизм и возненавидела. А я ее, Вера Петровна, за эгоизм не виню. У нее папочка был пример перед глазами. На его глазах загибалась с ней на руках, а он только знал гастроли, репетиции, шашки и еще ходил с другом Горбатовым по улице Горького, обсуждал, какие у кого ноги. Потом этот Горбатов хорошо его сделал, я вам рассказывала... Так ему, предателю, и надо! Нет, эвакуация — это еще было не предательство. Предал он меня по-настоящему, когда Оле было лет шесть. Вы́ходила я ее от желтухи и сама от одиночества, от беспомощности впала в депрессию тяжелую. Показали меня врачупсихиатру. Врач сказал, что мне надо работать. Сеня говорит: «Она работает. Все время с ребенком, по хозяйству...» Он поясняет: «Нет. С людьми работать. Библиотекарем, продавцом, кем угодно. Она общительный человек, ей нельзя быть одной». Но как я могла работать, когда дочь все время болела?! Я же не могла ее бросить, как она сына своего бросила! Так в этой депрессии и осталась. А у нас в доме соседка жила, Верка-стукачка. Она была в оккупации и, чтобы прописаться в Москве, на всех стучала. Вот как-то она пришла, забралась с ногами на диван, где Оля спала, и говорит: «Федора вчера забрали в КГБ, я была понятой». А она сама же на него и стукнула! «Так вот, когда его брали, про вас спрашивали. Чем занимаетесь, почему такая молодая, а нигде не работаете». А я анекдот накануне рассказала дурацкий, перепугалась страшно, побежала в театр к Сене. Он как от мухи назойливой отмахнулся, сказал: «Ерунда». Я к Розальского жене обратилась. Она мне посоветовала написать в КГБ заявление, что, мол, соседка ведет со мной провокационные разговоры. Я написала, и такой меня страх обуял. Всю меня трясло, я есть не могла, спать не могла... Сеня, как про это заявление узнал, полез под потолок, повел меня опять к психиатру, к другому уже, и тот сказал, что у меня мания преследования. Никакой у меня мании не было, была депрессия, которая усугубилась. Я пыталась объяснить, но сумасшедшую кто слушать станет! Положили меня обманом в больницу — сказали, что положат в санаторное отделение, а положили к буйным. Я стала плакать, меня стали как буйную колоть. Я волдырями покрылась, плакала день и ночь, а соседи по палате говорили: «Ишь, сволочь, боится, что посадят, ненормальной прикидывается». Сеня приходил, я его умоляла: «Забери меня, я погибаю». Забрал, но уж поздно — превратили меня в калеку психически ненормальную. Вот этого предательства, больницы, того, что, при моем уме и характере, ничтожеством искалеченным стала, — этого я ему забыть не могу. Он — в актерах, в гастролях, с аплодисментами, я — в болезнях, в страхах, в унижении всю жизнь. А я книг прочла за свою жизнь столько, что ему и во сне не увидеть! — Бабушка снова расплакалась и приложила к лицу насквозь мокрое полотенце. — Пустое все, Вера Петровна. Пропала жизнь, обидно только, что зря. Ладно бы дочь человеком выросла, оправдала слезы мои. Выучилась тоже на актрису, выскочила после института замуж, родила калеку больного, а потом нашла себе в Сочи этого пьяницу. Я ей говорила — учись, будь независимой, а по ней лучше костылем для хромого «гения». Я еще на что-то надеялась, пока этот карлик к ней два года назад не переехал, потом крест поставила. У меня теперь одна забота, отрада в жизни — дитя это несчастное. За что, Вера Петровна, ребенок этот так страдает? В чем он перед Господом провинился, сирота при живой матери? Места живого нет на нем, весь изболелся. Из последних сил тяну — выхаживаю. Врачи, анализы, гомеопатия — руки опускаются. Одна диета сил уносит сколько! Творог только рыночный, суп без мяса, котлеты я паровые делаю, а вместо хлеба сушки кладу размоченные. Тяжело — не то слово. Тяжко! Но своя ноша не тянет, знаете поговорку? Это он по метрике матери своей сын. По любви — нет на свете человека, который любил бы его, как я люблю. Кровью прикипело ко мне дитя это. Я когда ножки эти тоненькие в колготках вижу, они мне словно по сердцу ступают. Целовала бы эти ножки, упивалась! Я его, Вера Петровна, выкупаю, потом воду менять сил нет, сама в той же воде моюсь. Вода грязная, его чаще чем раз в две недели нельзя купать, а я не брезгую. Знаю, что после него вода, так мне она как ручей на душу. Пила бы эту воду! Никого, как его, не люблю и не любила! Он, дурачок, думает, его мать больше любит, а как она больше любить может, если не выстрадала за него столько? Раз в месяц игрушку принести — разве это любовь? А я дышу им, чувствами его чувствую! Засну, сквозь сон слышу — захрипел, дам порошок Звягинцевой. Среди ночи проснусь одеяло поправить, пипочку потрогаю — напряглась, разбужу, подам горшочек. Он меня обсикает со сна, а я не сержусь, смеюсь только. Кричу на него — так от страха, и сама себя за это кляну потом. Страх за него, как нить, тянется, где бы ни был, все чувствую. Упал — у меня душа камнем падает. Порезался — мне кровь по нервам открытым струится. Он по двору один бегает, так это словно сердце мое там бегает, одно, беспризорное об землю топчется. Такая любовь наказания хуже, одна боль от нее, а что делать, если она такая? Выла бы от этой любви, а без нее зачем мне жить, Вера Петровна? Я ради него только глаза и открываю утром. Навеки бы закрыла их с радостью, если б не знала, что нужна ему, что могу страдания его облегчить... Что? Суп горит... Ну бегите, Вера Петровна! Спасибо, что выслушали дуру старую, может, легче ей оттого станет. Светочке привет, здоровья вам обеим...

— Суп у нее горит... Врет, сволочь, просто слушать надоело, — сказала бабушка, положив трубку, и подбородок ее еще раз запоздало свело судорогой. — Кому охота про чужое горе слушать. Все эгоисты, предатели кругом. Один ты, солнышко мое, рядом, а больше мне никого и не надо. Пусть подавятся вниманием своим... Хотя ты тоже, как они, — добавила вдруг бабушка с горьким презрением. — Мать придет, кипятком перед ней ссышь: «Мама, мама!» Продашься за любую игрушку дешевую. Все мои слезы, все мои нервы с кровью за машинку копеечную продашь. Тот еще иуда! И тебе не верю...

Вечером, когда на экране телевизора появились предвещавшие программу «Время» часы, давно уже спокойная бабушка сказала:

— Девять часов. Где, интересно, бздун этот старый ходит? Пора бы уже закругляться с посиделками.

Бабушка взяла стоявший возле дивана на полу телефон и набрала номер.

— Леша. Добрый вечер, — сказала она в трубку. — Моего позовите на минутку... Нету? А давно ушел?.. Как не заходил? Сегодня не появлялся... И не звонил?.. Нет, я так. Если вдруг объявится, скажите, чтоб мне перезвонил.

— Куда же он делся? — встревожилась бабушка, когда программа «Время» закончилась. — Дай-ка еще позвоню. Там он сидит, где ему быть? Просит, чтоб не подзывал... Леша, это Нина, Сени жена, опять. Его правда нет, или он вас просит не подзывать?.. Нет и не было? Ну извините еще раз...

Когда закончился вечерний фильм, бабушка забеспокоилась не на шутку.

— Ночевать ему негде, идти не к кому, что ж с ним такое? — тихо бормотала она про себя. — В гараже, что ли, сидит, дурак старый?

Бабушка выглянула в окно. Железные двери гаража тускло освещал свет уличного фонаря.

— Наверняка там сидит, больше негде, — сказала бабушка, отходя от окна. —Пойду позову.

Бабушка надела шубу, повязала платок и отправилась на улицу.

— Господи боже мой! — причитала она, вернувшись. — И гараж заперт! Куда же он делся?! Матерь Божья, заступница, спаси, сохрани и помилуй! Двенадцатый час, нет старика! Садист бессердечный, ни позвонить, ни предупредить! Что с ним, господи? Где он?! Сашенька! — бросилась бабушка ко мне. — Позвони ты еще раз Леше этому. Там он сидит, негде ему быть больше. Позвони, скажи, баба волнуется, просит дедушку вернуться. Он со мной разговаривать не хочет, твой голосок услышит, подойдет. Скажи ему: «Дедонька, вернись, мы тебя ждем». Баба плачет, скажи. Попроси его ласково, он тебя послушает, вернется. Скажи: «Ради меня вернись, я тебя люблю, не могу без тебя». Скажи: «Спать без тебя не можем». Позвони, Сашенька, я наберу тебе...

Дедушка сидел у Леши.

— Ну ты сказал, что меня нет и не было? — уточнял дедушка, потягивая неумело смятый «Казбек».

— Сказал, сказал, — успокоил его Леша. — Не знаю, где ты, не говорил с тобой и вообще неделю тебя не видел.

— Ну, она поверила?

— Сколько можно, Сень? Успокойся! Я два раза сказал, что тебя нет. Третий раз позвонит, вообще трубку не возьмем. Полдвенадцатого, я уже мог и спать лечь.

— Извини, Леш, я вообще, наверное... — засуетился дедушка на стуле.

— Сиди, — снова успокоил его Леша. — Останешься ночевать, как договорились. На диване ляжешь, хоть два дня живи. Но, Сень... Больше не могу, извини. Привык я один, тяжело мне, когда кто-то в квартире. Спать не могу.

— Нет, нет, до завтра только, — замахал дедушка руками и обсыпал свои брюки пеплом. — Пусть думает, что я уйти могу. Вроде мне есть куда, не только к тебе. — Дедушка глубоко вздохнул. — А на самом-то деле, Леш, некуда мне идти... И дома нет у меня. Концерты, фестивали, жюри какие-нибудь нахожу себе — только бы уйти. Сейчас в Ирак полечу на неделю нашего кино. Ну на кой мне это в семьдесят лет надо? Она думает, я престиж какой ищу, а мне головы преклонить негде. Сорок лет одно и то же, и никуда от этого не деться. — В глазах у дедушки появились слезы. — Самому на себя руки наложить сил нет, так вот курить опять начал — может, само как-нибудь. Не могу больше, задыхаюсь! Тяну эту жизнь, как дождь пережидаю. Не могу! Не хочу... — Дедушка вдруг расплакался, как ребенок, и уткнулся лицом в ладонь.

— Ну-ну... — ободряюще похлопал его по плечу Леша.

— Не хочу! Спать ложусь вечером — слава богу день кончился. Просыпаюсь утром — опять жить. И давно уже, Леш, давно так. Не могу... А не станет меня, кто их кормить будет? — сказал дедушка, убирая от лица руку. Залившие на секунду лицо слезы впитались в морщины, и то, что дедушка плакал, видно было только по мокрой ладони и набухшим влажной краснотой векам, которые дедушка на секунду зажмурил, будто хотел отжать. — Она же дня в своей жизни не работала, не знает, откуда деньги берутся. Всю жизнь я работаю, всю жизнь ее содержу. И всю жизнь не такой, плохой... Первое время думал, привыкну, потом понял, что нет, а что делать, не везти же ее в Киев обратно. Потом Алеша родился, тут уж что раздумывать. Пара мы, не пара — ребенок на руках, жить надо. Я и смирился, что так будет. Потом война. Алеша умер, Оля родилась. Жил как живется, даже, показалось, привык. А после больницы, как я ее забрал в пятидесятом году, — все, на том жизнь и кончилась. С утра до ночи упреки-проклятья. Хоть беги! И была мысль. Мне говорил мужик один, его тоже жена заедала: «Будет только хуже. Пока молода, оставь ей все и уноси ноги!» Я ему сказал: «Как я могу? Она мне двоих детей подарила. Одного ребенка похоронила, второй болеет, работать она не может — как я ее брошу?!» Так и остался, по сей день терплю. А мужик тот свою жену бросил, так его через год инсульт хватил. В сорок восемь лет каюк, вот так. Видно, есть Бог на свете.

— Не знаю... — задумчиво сказал Леша, доставая из вазочки шоколадную конфету и подвигая вазочку дедушке. — Может, и есть, только не по уму он как-то все делает. За что вы оба маетесь? Живут же другие нормально.

— До других мне дела нет, — перебил дедушка, и на лице его мелькнула обида, — а я, маюсь не маюсь, до семидесяти лет дожил. Пусть плохо, но все ж лучше, чем в сорок восемь сдохнуть. И всегда знал, что жена верна. И сам не изменял ни разу. Да что мы, Леш, говорим с тобой! Такая жена, сякая — сорок лет прожито, какую Бог послал, такая есть. Я вот на концерты уезжаю, в тот же день думаю, как она там одна, что с ней. В гостиницу приеду, позвоню. Узнаю, что с ней все в порядке, и сплю спокойно. Срослись мы, одна жизнь у нас. Тяжелая, мука, а не жизнь, но одна на двоих, и другой нету. А с ней, Леш, очень тяжело. Она меня, к примеру, клянет, что я зубы ей не сделал. Раз двадцать пробовал в поликлинику отвезти, с врачами договаривался, но у нее же все приметы какие-то, черт бы их побрал! То день не тот, то врач не тот, то новолуние, то полнолуние... Такое впечатление, что специально морочит, чтоб потом со свету сживать. Какую-то глупость выдумает и проклинает, требует, чтоб так было. Даю ей деньги — прячет по всей квартире так, что не найдешь потом. Сам если в одно место положу, вынет, переложит. Сегодня шел в магазин за продуктами. «Эту сумку не бери, возьми ту». — «Почему ту, Нина?» — «Эта оборвется». — «Ну почему же она оборвется, я все время с ней хожу». — «Нет, возьми другую, эта плохая». И я знаю, что идиотизм это, а делаю, как она говорит, потому что жалко ее. Может, я правда без характера, поставить себя не сумел, но что себя перед ней ставить, если больной психически человек? Она же не понимает, что глупость требует, думает, так в самом деле надо. И первая же страдает, если что не так. Нормальный человек руку потеряет, не будет так переживать, как она, если Саша не в ту баночку для анализа напишет. Все время подстраиваться приходится, со всем соглашаться. Как сам еще с ума не сошел, не знаю. Иногда срываюсь, как сегодня, потом сам же виню себя за это, места не нахожу.

— Так ты себя еще и виноватым чувствуешь?!

— Сегодня нет! — спохватился дедушка. — Всему предел есть. Завтра приду, а сейчас пусть думает, что я совсем ушел. Такое она все-таки не часто устраивает. Вообще с тех пор как Саша у нас появился, она спокойнее стала. А что было, когда Оля замуж вышла! «Это ты ей квартиру построил! Ты из нее половую психопатку воспитал! Хочешь, чтоб она, как я, всю жизнь ничтожеством оставалась!» А Оле тогда двадцать семь лет было, не то что школьница какая-нибудь. И целый год, пока Саша не родился, никакого житья не было. Клял себя за квартиру эту, но назад же не заберешь. Потом Саша появился, она стала к ним ездить, помогать — вроде успокоилась. Но то с Олей поругается, то с мужем — каждый раз в слезах возвращалась. А отплачется, примется за меня. Все, что им недоговорит-недоскажет, — все на мою голову. Грех так думать, но я, когда они развелись, с облегчением вздохнул. Отдышался, так года не прошло, Толя этот, карлик, появился. Только я Олю уговорил к нам переехать, как обухом нас по голове. Ох, что с бабкой было! Неделю лежала, в одну точку смотрела. Есть перестала почти, руки дрожат, осунулась. Меня тогда в кино на роль хорошую приглашали — отказался, не мог ее оставить. Потом вроде пришла в себя, так Оля с Сашей в Сочи уехали. Такие проклятья были, я думал, оба в психушку попадем, а я первый. Вот, прости меня, Господи, за такие слова, спасло только, что Саша больной вернулся. Оля его нам оставила, бабка ожила словно. Стала лечить его, даже про карлика этого забыла. «Сашенька, Сенечка...» — только и было от нее слышно. Потом со временем опять разошлась, но уж не так, как раньше. Болел-то Саша постоянно, возиться с ним все время приходилось, да и приходится. Она души в нем не чает. Если б не он, не знаю, что бы с ней и было. А Оля им все равно заниматься не может, мы его поэтому и не отдали. Моталась в эти Сочи чуть ли не каждый месяц. Ее после института и в театр приглашали, и в кино сниматься — все забросила. Одну роль сыграла — пару эпизодов и только ездила — «гения» этого от пьянства спасала. И пусть бы ездила, но ребенка бросить как можно было?! Ненавижу карлика этого! А он уж сидел бы тише воды, не высовывался, так нет — мало того что в квартиру мою въехал, еще и в отношения наши лезет! Письмо мне написал такое, что меня аж трясло, когда читал. Я тебе прочту сейчас. С собой ношу, не дай бог бабке на глаза попадется...

Дедушка достал из внутреннего кармана пиджака большой потертый бумажник, открыл застегнутый на «молнию» кармашек и вытащил оттуда сложенный вчетверо и стершийся на сгибах листок.

— Два года назад написал, когда сюда переехал, — пояснил дедушка и торопливо, словно поскорее хотел избавить свои глаза от неприятных строчек, начал читать: «Уважаемый Семен Михайлович. Я пишу это письмо, желая помочь Оле и Саше. Может быть, наивно надеяться, что письмо может чем-то помочь, но я все-таки надеюсь. Нервная обстановка в доме, разъедающая душу ребенка, травля родной матери у него на глазах, кроме крайнего вреда всей его нравственности, ни к чему другому привести не может. Он попал в положение, когда его волей-неволей заставляют предавать собственную мать, когда он постоянно становится свидетелем чудовищных сцен, подобных той, что произошла три года назад около цирка и которую я не могу Вам простить, хотя Вы наверняка считаете, что прощать Вас или не прощать я не имею никакого права. Как Вы могли силой оторвать ребенка от плачущей матери? Как Вы могли поднять руку на собственную дочь?»

Дедушка замолчал, оторвал глаза от бумаги и столкнулся с вопросительным взглядом Леши.

— Отпихнул я ее, Леш. Не ударил, но отпихнул. Чтоб знала, что не надо шутить со мной. Я решил, что он с нами останется, значит, так и будет. Что это такое: взять тайком со двора, увести? Да еще в цирк, так, что он от аллергии чуть не задохнулся. Отпихнул и сказал, чтоб думать о нем не смела. У нее карлик есть, пусть о нем думает. А он, смотри, что дальше пишет: «Я теперь понимаю, отчего Саша говорит матери: «Мама, я нарочно говорю, будто тебя не люблю, чтобы бабушка не сердилась, а я тебя очень люблю!» Надеюсь, Вы не передадите этого Нине Антоновне, чтобы не навлечь на Сашу ее гнева. Вы можете как угодно относиться к своей дочери, Вы можете быть о ней даже дурного мнения. Как это ни печально — это Ваше дело. Хотя для меня это и больно, и непонятно — Оля человек с редкими достоинствами, чистый, самоотверженный, талантливый, благородный. Какие у Вас могут быть к ней претензии, касается только Вас, но отнимать ребенка у матери и отнимать мать у сына — немыслимо, преступно. Не знаю, известно ли Вам, что Оля носит в своем медальоне Ваш портрет. Если неизвестно, поймите наконец, что Вы делаете со своей дочерью, с ее горькой любовью к Вам и к сыну.

И еще. Пожалуйста, не бойтесь, что я тут в чем-то заинтересован для себя. Вам трудно поверить в это, а мне почти невозможно Вас убедить, что наши отношения с Олей построены не на моем желании получить прописку в Москве, а на взаимной привязанности и, если хотите, любви. И я все еще не спешу оформлять наши отношения официально, в чем Вы опять видите только отрицательную сторону, инкриминируя мне безобязательное сожительство и лишая прав вмешиваться в отношения семьи как постороннего и чуть ли не как проходимца. Поймите, как это ни горько звучит, для Оли важнее всего независимость от вас. Влияние Нины Антоновны, унижающее в ней человека, женщину, не могло пройти бесследно. Оно глубоко проросло в ней, и если Вы укоряете Олю за профессиональную несостоятельность, то поймите, что на первом месте стоит несостоятельность человеческая, в которой виновна Нина Антоновна и косвенно Вы. Оля боится каждого самостоятельного шага, и еще один повод обвинить меня, но ее поездки в Сочи, возможно, стоили двух-трех несыгранных ролей (которые, я убежден, она еще сыграет), ибо первый раз в жизни дали ей ощущение свободы. Развить самостоятельность возможно только при полной материальной независимости, которой, насколько я знаю, Оля была лишена всю жизнь, выпрашивая у вас деньги до двадцати шести лет, а потом и отдавая вам всё, заработанное собой и мужем, на нужды хозяйства, которые Нине Антоновне были якобы известны лучше. Даже шуба, купленная Олей на деньги от своей первой роли, до сих пор висит у Нины Антоновны в шкафу. Начало наших отношений положило конец всякой помощи с Вашей стороны, но говорить о независимости смехотворно. Перебиваться случайными заработками, жить впроголодь, отнимая иногда у себя последний в прямом смысле слова кусок, чтобы купить игрушку отнятому сыну, оказалось возможным для Оли целых три года. Надолго ли хватит ее еще? Профессия художника не слишком надежна, чтобы обеспечивать семью, но я обещал Оле и обещаю Вам, что приложу все силы, и только получив возможность содержать ее и содержать ее сына (простите, но, по моему убеждению, Саша рано или поздно должен вернуться к матери) я пойду на официальный брак. Я не ищу себе пути к отступлению, но вынужден предварить устойчивое материальное благополучие законному оформлению нашего с Олей союза, ибо влияние Ваше все еще сильно, и, хотя Оля всячески отрицает это, я не могу не замечать проскакивающие иногда в ее душе сомнения насчет чистоты моих намерений. Боюсь, доказывать, что мне нужна не прописка, придется не только Вам. Уйдет ли на это год или два, но я стану законным мужем Вашей дочери и, хотелось бы верить, отцом ее сыну. Сегодняшнее мое неопределенное положение лишает меня права голоса, лишает права что-либо требовать, но, смею надеяться, статус супруга даст мне такие права, и, не сочтите за дерзость, я буду просить Вас о том, о чем не решается просить Оля, — передать Сашу нам, вернуть его матери. Я уповаю на Ваше благоразумие и верю, что решить этот вопрос удастся бесконфликтно — разумно и по-человечески. Если Саша действительно очень болен и его болезни не есть глубокая неврастения, вызванная бабушкой, или, что тоже вероятно, плод ее фантазии, мы найдем врачей, найдем лекарства и будем заниматься его лечением с не меньшей отдачей, чем Вы и Нина Антоновна. С уважением, Анатолий Брянцев». С уважением, твою мать... — подытожил дедушка чтение.

— Ну как тебе это нравится?

— Ну... так... — замялся Леша, не зная, какой реакции дедушка ждет.

— Я чуть не взбесился, когда прочел! Это же даже не наглость, это хулиганство! Черт знает какая пьянь в мою квартиру вперлась и еще что-то требовать собирается! Сашу он будет просить... Его и на шаг к нему не подпустит никто! А этот чмур двуличный тоже хорош: «Говорю, что не люблю, чтобы бабушка не ругалась, а я тебя очень люблю...» Нарочно бабке передам, чтобы знала, какая тварь неблагодарная. Маму он любит... Дурак! Бабка жизнь ему отдает, кровью за него исходит, а мама на алкаша его променяла. Независимость ей понадобилась! Не то что впроголодь, вообще скоро жрать нечего будет.

— А он так до сих пор и не зарабатывает?

— Что он может заработать? Первое время хоть не пил вроде, а сейчас, бабка говорит, опять хлещет. Я не знаю, я с ними не общаюсь. Клубы какие-то он оформлял, спектакли самодеятельные. Копейки это, на бутылку только. Этой идиотке гнать его в шею надо, пока не поздно. А то второго ребенка сделает ей, вообще будет никому не нужна. Сашу он собрался лечить... Загубит, потом скажет, не вылечили. И специально еще подсыплет чего-нибудь.

— Ну это ты хватил, — покачал головой Леша. — Зачем это ему?

— Как зачем?! Ты посуди сам. Мы сдохнем, наследство Саше с этой идиоткой. А не станет Саши, все ей, а значит, ему. Саша ему как кость в горле, он только и хочет его погибели. Ничего, пока мы живы, он его близко не увидит! Отец выискался... Я ему отец! А бабка мать! И никого, кроме нас, у него нету. Я его усыновить хочу, чтобы они и по суду не забрали. Пусть даже отчество мое носит.

Резкий в ночной тишине телефонный звонок заставил дедушку вздрогнуть.

— Опять она, — сказал Леша. — Мне сюда звонить некому.

— Ну подойди...

— Зачем?

— Подойди, мало ли?

— Мы ж договорились.

— Подойди. Может, ей плохо...

— Потерпит, ничего с ней не станет.

— Да ты что, с ума сошел?! Подойди, кому говорю!

— Вот сам и подходи.

Леша не двигался. Телефон настойчиво дребезжал. Дедушка нервничал.

— Подойди, Леш, что ты, назло, что ли?

— Не буду я подходить! Что за бесхарактерность? Сам же проучить ее хотел. Отключу сейчас, пусть гудки слушает, если делать нечего.

Леша встал и потянулся к телефонной розетке.

— Не смей! — крикнул дедушка и, отчаянно махнув рукой, поднял телефонную трубку.

— Алло... — выдохнул он. — Да... Это я... Нет... Сейчас... Скажи, сейчас... — Сашенька звонил, — объяснил он, положив трубку, и на глазах у него выступили слезы. — Сказал: «Вернись, деда, мы без тебя спать не можем». Что я делаю, дурак старый? Куда я от них уйти могу?

— Так чего, домой?

— Домой, домой, — ответил дедушка и торопливо взялся за пальто. — Спокойной ночи, Леш. Спасибо.

В дверях дедушка остановился, будто что-то вспомнил, и заговорщицки попросил:

— Там у тебя конфеты на столе были. Дай парочку, бабке возьму.

ЧУМОЧКА

После болезни, долго мучившей меня кашлем, сжатыми легкими и высокой температурой, из-за которой в голове моей не раз еще грохотал страшный барабан, я поправился всего на две недели. Потом я начерпал валенками снег и простудился снова. Простуда, которую Галина Сергевна назвала странным словом «рецидивная», оказалась легкой. Температуры не было, я только кашлял и сморкался в бумажные салфетки, которые бабушка давала мне вместо носовых платков.

— Платком все время будешь инфекцию к носу тыкать, а в салфетку высморкался и выбросил, — объясняла она.

Я сидел за партой, догонял разбежавшиеся на несколько картонок уроки и усеивал пол скомканными салфетками, доставая их из лежавшей на парте раскрытой пачки. Уроки всегда нагоняли на меня тоску, с которой я сталкивался с самого утра. Открыв глаза, я ужасался своему пробуждению и всеми силами старался поспать еще, чтобы как можно дольше не начинать этот день, который весь придется прожить только для того, чтобы завтра наступил еще один точно такой же. С самого утра я знал, что сегодня не будет ничего приятного, ничего веселого, ничего интересного. Будет столбик предложений, которые, пока я болел, писала в классе Светочка, будет математика со среды по пятницу, будет бритва и будет бабушка. И так будет завтра. И послезавтра. И до тех пор, пока я не догоню уроки. А пока я буду догонять их, бабушка узнает новые. Почему нельзя заснуть и проснуться, когда все уже будет сделано?

Но сегодняшний день был особенным. Проснувшись утром, я почувствовал непривычную радость, которую не могла смутить притаившаяся возле парты тоска. Я радовался тому, что весь день у меня будет занятие, которому не помешают даже уроки; занятие, за которое я с радостью отдал бы все свои редкие развлечения, — ожидание. Я ждал вечера. Вечером ко мне должна была прийти Чумочка.

Чумочкой мы с бабушкой называли мою маму. Вернее, бабушка называла ее бубонной чумой, но я переделал это прозвище по-своему, и получилась Чумочка. Чумочка приходила очень редко — в месяц раза два. Бабушка говорила, что лучше бы она не приходила вовсе, но тогда ожидание исчезло бы из моей жизни, а значит, я всегда ужасался бы своему пробуждению, и ни одно занятие не смогло бы сделать так, чтобы, открыв утром глаза, я не захотел закрыть их снова и проспать из нового дня как можно больше тоскливого и никчемного времени.

Я любил Чумочку, любил ее одну и никого, кроме нее. Если бы ее не стало, я безвозвратно расстался бы с этим чувством, а если бы ее не было, то я вовсе не знал бы, что это такое, и думал бы, что жизнь нужна только затем, чтобы делать уроки, ходить к врачам и пригибаться от бабушкиных криков. Как это было бы ужасно и как здорово, что это было не так. Жизнь нужна была, чтобы переждать врачей, перетерпеть уроки и крики и дождаться Чумочки, которую я так любил.

Жалуясь своим знакомым, как со мной тяжело, бабушка утверждала, что больше всех я люблю ее, но сам этого не понимаю, а видно это, когда я называю ее бабонькой. Как я называю ее бабонькой, бабушка всегда показывала и при этом зачем-то делала жалобное лицо. Потом она говорила, что сама любит меня больше жизни, и знакомые, дивясь на такое счастье, восхищенно качали головами и, сокрушаясь моей несообразительностью, требовали:

— Обними бабушку свою, что стоишь! Сколько сил она тебе отдает, пусть видит, что ты ее тоже любишь.

Я молчал и злился. Бабонькой я звал бабушку редко и только если мне нужно было что-нибудь выпросить. Обнять же ее мне казалось чем-то невозможным. Я не любил ее и не мог вести себя с ней как с мамой. Я обнял бабушку один-единственный раз после ее ссоры с дедушкой и чувствовал, как это глупо, как ненужно и как неприятно. Но еще неприятнее было, когда бабушка, выражая свою любовь, разворачивала меня спиной и холодными, мокрыми, со щекочущими волосками губами прикладывалась к моей шее.

— Только в шейку целую его! — объясняла она знакомым. — Только в шейку! В лицо нельзя — зачем я ему к личику заразой своей лезть буду. В шейку можно.

От бабушкиных поцелуев внутри у меня все вздрагивало, и, еле сдерживаясь, чтобы не вырваться, я всеми силами ждал, когда мокрый холод перестанет елозить по моей шее. Этот холод как будто отнимал у меня что-то, и я судорожно сжимался, стараясь это «что-то» не отдать. Совсем иначе было, когда меня целовала мама. Прикосновение ее губ возвращало все отнятое и добавляло в придачу. И этого было так много, что я терялся, не зная, как отдать что-нибудь взамен. Я обнимал маму за шею и, уткнувшись лицом ей в щеку, чувствовал тепло, навстречу которому из груди моей тянулись словно тысячи невидимых рук. И если настоящими руками я не мог обнимать маму слишком сильно, чтобы не сделать ей больно, то невидимыми я сжимал ее изо всех сил. Я сжимал ее, прижимал к себе, чтобы никогда не отпустить, и хотел одного — чтобы так было всегда.

Я все время боялся, что с мамой случится что-то плохое. Ведь она ходит где-то одна, а я не могу уследить за ней и предостеречь от опасности. Мама могла попасть под машину, под метро, на нее мог напасть убийца с заточенной спицей в рукаве, о котором говорила мне бабушка. Глядя ночью в окно на темную улицу, где зловеще мерцали белые фонари, я представлял, как пробирается к себе домой мама, и невидимые руки из моей груди отчаянно простирались в темноту, чтобы укрыть ее, уберечь, прижать к себе, где бы она ни была.

Я просил маму не ходить поздно вечером, просил осторожно переходить улицу, просил не есть дома, потому что бабушка уверила меня, будто карлик-кровопийца подсыпает ей в ужин яд, и ненавидел свое бессилие, из-за которого не мог быть рядом и проверять, как она меня слушается.

Однажды мама сказала, что придет и принесет мне книжку.

— «Я умею прыгать через лужи» называется. Лошадка тут какая-то на обложке... — сказала она по телефону.

В тот день она очень задержалась, и, думая, что ее убили, я ходил из угла в угол, плакал и повторял про себя: «Последнее ласковое

слово, которое я от нее услышал, было — "лошадка"».

Слово «лошадка» относилось не ко мне, но
звучало действительно ласково и очень приятно, а все приятные слова исходили только от
мамы. Дедушка называл меня иногда шутливо
дурачком, чмуром или подгнилком, бабушка
называла меня котиком и лапочкой, когда я болел, — но я забывал об этих словах, как о про-
глоченных порошках и таблетках. Произнесен-
ное однажды мамой слово «кисеныш» я долго
потом повторял про себя перед сном.

Я запоминал каждое сказанное мамой ласковое слово и был в ужасе, представляя, что
слово «лошадка» последнее, что придется мне
запомнить. Когда мама наконец пришла, я бросился к ней на шею и обнял как вернувшуюся
ко мне жизнь.

Кроме мамы, я обнимал иногда дедушку, но,
конечно, совсем не так. Я радовался, когда он
возвращался с концертов с сувенирами, некоторые из которых дарил мне, обнимал его на
секунду, чтобы показать, что рад его возвраще-
нию, но кроме этой недолгой радости ничего не
чувствовал. Приехав, дедушка сразу становился привычным, и обнимать его больше не хотелось.

И все же я думал, что тоже люблю его, не
так, как маму, и даже не вполовину, но все-таки люблю, и меня задело, когда однажды он

вдруг сказал, что я люблю не его, а его подарки. Я почувствовал себя виноватым и злился, что такие глупые слова заставляют меня переживать непонятную вину. Я забыл о них, но потом произошла история с магнитофоном, которая случилась за несколько дней до прихода Чумочки и которую я подробно сейчас расскажу...

Время от времени дедушка уезжал за границу, и тогда его подарки бывали действительно хороши. Правда, надо было быть осторожным и не благодарить дедушку раньше времени, потому что, случалось, предназначенный мне подарок оказывался потом вовсе не для меня. Так, вернувшись из Финляндии, дедушка торжественно вручил мне маленький фонарик, я весь день бегал с ним по квартире и всюду светил, а вечером оказалось, что фонарик дедушка привез себе для рыбалки. В другой раз дедушка привез спиннинг и сказал, что это для меня, потому что скоро на рыбалку мы поедем вместе. Я поставил спиннинг в угол у зеркала и думал, что теперь у меня есть еще одна замечательная вещь, кроме железной дороги, но дедушка унес спиннинг в гараж, а когда мы с ним поехали на рыбалку, дал мне ловить совершенно другим. Бывало и так, что подарок наверняка предназначался мне, но бабушка забирала его и говорила, что я лодырь и тунеядец, а подарок она отдаст Ванечке из соседнего подъезда, который учит в МИМО два языка, занимается спортом и не пьет из своей бабушки кровь.

Из поездки в Ирак дедушка привез магнитофон. Я не только понимал, что эта вещь не для меня, но даже не смел посмотреть на нее как следует, боясь, что дедушка заметит мой интерес и подумает, будто я на что-то претендую. Пряча глаза, полные тайного желания, я делал вид, что магнитофон меня совсем не волнует, а куда больше занимают меня мелочи вроде банки халвы и набора турецких сладостей.

— Смотри-ка, как упаковали! — восхищенно говорил я, поворачивая в руках жестянку с халвой, и незаметно бросал в сторону коробки с магнитофоном жадные взгляды.

— Так, ну посмотрим, что же я купил, — сказал дедушка и, взяв коробку на колени, стал ее распаковывать.

— Магнитофон, что ли? — спросил я как можно небрежнее.

— «Филипс», — гордо прочитал дедушка название.

— Только кретин мог «Филипс» купить, — тоном знатока заявила бабушка. — Надо было с Белокуровым посоветоваться. У него давно такая техника есть, он разбирается. Он бы сказал тебе, что надо брать «Сони» или «Грюндиг». Но ты же осел самонадеянный, где какое дерьмо лежит, сразу, не разобравшись, схватишь.

— Ну почему дерьмо, Нина?! Хорошая фирма, известная...

— «Сони» или «Грюндиг»! — отрезала бабушка. — Фи, барахло, весь из пластмассы...

Я не знал, чем отличается «Филипс» от «Сони» или от «Грюндига» и чем плоха пластмасса, но показавшийся из коробки магнитофон заворожил меня. По-прежнему боясь себя выдать, я стал невзначай рассматривать рисунок на упаковке, потом пристально заинтересовался прилагаемой кассетой, потом инструкцией, а потом интерес брызнул наружу. Пока дедушка вертел магнитофон так и сяк, не зная, с какой стороны за него взяться, я уже понял, как открывается крышка для кассеты, сунул палец между дедушкиных рук и нажал на нужную кнопку. Крышка открылась. Дедушка растерялся от моей наглости, а я достал из коробки кассету, вставил ее и закрыл крышку так уверенно, словно пользовался этим магнитофоном всю жизнь.

— Ты что вообще?! — осадил меня дедушка. — Я тебе разве разрешил?

— Да я просто показал, как вставлять, — ответил я, поспешно вернувшись к небрежности.

— Ну и нечего трогать!

— Что ты ему не даешь! Пусть разберется ребенок что к чему, — потребовала бабушка. — У него светлая голова, он лучше тебя поймет. Будет языком заниматься с педагогом, будут записывать, что им нужно.

Дедушка оторопел. Я тоже. Первый раз бабушка была на моей стороне. Она не только не забирала то, что предназначалось мне, она разрешала пользоваться тем, что явно должно было остаться для меня запретным!

Чтобы не спугнуть бабушкино покровительство и надежду, в которую трудно было поверить, я изо всех сил сдержал в себе взорвавшееся ликование.

— Вот пуск. Вот перемотка. Запись, — стал я показывать дедушке, стараясь оставаться по-прежнему сдержанным и небрежным.

Теперь я делал вид, что для меня важно именно разобраться что к чему, а к возможности пользоваться магнитофоном, которая на самом деле меня ослепляла, я отношусь без особого почтения и даже свысока. Мы быстро освоили немногочисленные кнопки, и я предложил записать что-нибудь на кассету, но дедушке нужно было уходить. Он хотел убрать магнитофон обратно в коробку, но бабушка сказала:

— Оставь, пусть он разберется до конца. Потом придешь, все тебе покажет.

— Я вообще-то не для него купил, — проворчал дедушка.

— Ничего, в кои-то веки поступишься чем-то. Не всю жизнь эгоизм свой цацкать. Больной, покинутый ребенок, пусть хоть одна отрада у него будет, магнитофон этот сраный. Заслужил мальчик страданиями своими.

Я не верил своим ушам. Дедушка ушел недовольный. Магнитофон остался на столе.

Я смотрел на его гладкие блестящие бока, на полированные кнопки, на стрелку в маленьком прозрачном окошке, чувствовал запах свежей пластмассы и магнитной пленки и боялся притронуться к этому внезапно свалившемуся счастью. Я включил встроенный в магнитофон приемник, поймал какую-то музыку, и оказалось, что ее можно записывать. Горела красная лампочка, крутилась кассета, прыгала в такт ритму умная стрелка. Вид работающей, послушной моей воле техники закружил мне голову. Но главное было не это! Я всегда чувствовал себя хуже других, и пределом моих мечтаний было хотя бы однажды оказаться в чем-нибудь, как все. И вдруг я впервые почувствовал себя не хуже других, а лучше! Старшие ребята из циркового училища часто собирались у нас во дворе компанией и слушали в беседке магнитофон. Звуки незнакомой и какой-то очень замечательной музыки вызывали смертельную зависть непосвященного, но приобщиться к тайне было немыслимо. Потом магнитофон появился у Борьки... Он включал

212

мне ту самую музыку, которую крутили ребята из циркового, и объяснял, что это «Битлз». Ставил хриплого певца со звучной фамилией Высоцкий и смотрел с таким превосходством, что у меня темнело в глазах. И вот теперь у меня тоже магнитофон! Я буду слушать «Битлз», как цирковые ребята, буду слушать хриплого Высоцкого, распахнув окно и поставив магнитофон на подоконник, как делал Борька, но буду лучше них всех, потому что у них «Электроника», а у меня «Филипс».

От сердца отхлынула привычная зависть. Юные техники и танцоры, моржи и мотогонщики перестали быть занозой — превосходство в чем-то успокоило меня во всем. Я понял, что если увижу теперь по телевизору отвратительного мальчика моего возраста, который поет и мотает головой на манер взрослого, или фильм, в котором такие же сверстники плавают с аквалангами и ловят шпионов, в то время как я, сделав математику со среды по пятницу, сдаю с компрессом на спине анализ крови, меня не затрясет от раздражения и злости. Я усмехнусь и подумаю про себя: «Ха, а у меня зато "Филипс"!» И необычный покой укрыл меня, как теплое одеяло.

— Что ты вертишь туда-сюда?! Кокнешь, гицель этот потом мне всю печень выест, — сказала бабушка, застав меня в разгар эйфории.

— Да вот разбираюсь... — снова небрежно сказал я и тоном человека, который во многом уже разобрался, добавил: — Тут как раз кнопка есть, если не музыку, а голос записывать. Языком, например, заниматься...

— Вот это хорошо! — одобрила бабушка.

Указанная мною кнопка на самом деле устанавливала на ноль счетчик, но, пользуясь бабушкиным неведением, я придумал ей другое назначение, чтобы показать — баловство музыкой меня не привлекает, я человек серьезный и магнитофон собираюсь использовать для дела. Чтобы бабушка точно не заподозрила меня в крамольных намерениях, я указал на коробку, где был нарисован орущий в микрофон волосатый певец, и вроде невзначай сказал:

— Надо же рожу такую нарисовать. Можно подумать, все такое записывать будут.

Успокоенная моей благонадежностью, бабушка снова оставила меня с магнитофоном наедине, и я тут же принялся крутить ручку приемника, отыскивая музыку, которую можно было бы записать. Я записал где-то с середины «Арлекино, арлекино», почти целиком «Надежда, мой компас земной» и два куплета совсем дурацкой песни, где пелось про парня, который улыбается в пшеничные усы. Улов меня огорчил. Такой музыкой было не сразить даже Борьку, что говорить про старших ребят, которые наверняка подняли бы меня на смех —

особенно за пшеничного парня. Я принялся ловить снова и наконец поймал на коротких волнах достойный, хотя и булькающий от помех рок-н-ролл. Певец, голос которого сразу соединился в моем воображении с лицом, нарисованным на коробке, взахлеб пел что-то вроде «Бюль-бюли, аулелюри...» Я записал «бюль-бюли» на место пшеничных усов и остался доволен. Почему-то я был уверен, что поймал «Битла». Теперь надо было зазвать к себе на минуту Борьку. Я пошел к телефону и услышал, что бабушка с кем-то разговаривает.

— ...занят сейчас, — говорила она в трубку. — Не знаю, с магнитофоном возится, дедушка ему привез из Ирака. Надо разобраться, что и как включать, машина сложная. Да, вот так. У него нет матери, зато есть магнитофон. Ничего, магнитофон его не предаст, как некоторые...

Три слова вспыхнули передо мной как праздничный фейерверк: «...дедушка ему привез». Так, значит, мне!

— Кто это? — спросил я.

— Светочкина мама, — ответила бабушка, прикрыв трубку рукой. — Иди, не стой над душой. А то такой магнитофон будет, как прошлогодний снег. Иди.

Со Светочкиной мамой бабушка разговаривала обычно не меньше двух часов, и я поторопился снова включить радио, чтобы записать что-нибудь еще. Тут вернулся дедушка. Я прокрутил ему «Бюль-бюли, аулелюри...» и сильно пожалел об этом.

— Ну вот что, я такого хамства не позволю! — грозно заявил дедушка и стал запихивать магнитофон в коробку. — Вот же говно маленькое, как руки свои распустил!

— Что такое? — спросила бабушка, которая неожиданно быстро закончила свой разговор.

— Ничего! — гаркнул дедушка, грозно сверкая глазами из-под бровей, как он изредка умел. — Совсем очумели! Ничего моего в доме нет! Все прибрали!

— Успокойся, малахольный! — попросила бабушка с редким для нее миролюбием. — Кто у тебя что забрал?

— Вы забрали! Все забрали! — ругался дедушка, и непослушная коробка никак не поддавалась его нервным рукам. — Первый раз привез что-то себе, отойти нельзя, уже этот чмур тянется. Ни разрешения, ничего! Разберется он, что к чему... Без сопливых разберемся! Хоть одна вещь может моя быть, чтоб вы без моего разрешения не брали! Или все тут ваше?!

Дедушка закрыл наконец коробку и задвинул ее стоймя за диван.

— Будет тут стоять, и трогать не смей! — сказал он мне. — Вот я умру, будешь пользоваться. А пока знай, что не все тут твое.

Превосходство, так ненадолго поднявшее меня над другими, разлетелось вдребезги. Я не мог больше думать: «А у меня "Филипс"!»

Но бабушка посчитала иначе. В спальне она взяла меня за плечо, наклонилась и зашептала в самое ухо:

— Не обращай на старика внимания. Разорался, потом забудет. Завтра пойдет жопу на бытовой комиссии просиживать, достанешь, будешь включать сколько хочешь, только к приходу его спрячешь. А потом я договорюсь, он тебе разрешит. Он тебя любит, все для тебя сделает. Просто для приличия поорал немного.

На этом мы легли спать.

Проснувшись утром, я почувствовал необычное желание поскорее встать. Что-то вчера изменилось в моей жизни, что-то появилось хорошее, интересное... «Магнитофон!» — вспомнил я, нетерпеливо вскочил с кровати и, быстро одевшись, поспешил в дедушкину комнату.

Магнитофон стоял на прежнем месте. Дедушка одевался в прихожей, собираясь уходить. Я косился на стоявшую за диваном желтую коробку, и мне казалось, что дедушка нарочно одевается так медленно. Ну почему ему надо дважды оборачивать вокруг шеи шарф?!

— Другие ботинки надень, — сказала бабушка.

— Я в этих пойду.

— Надень другие, эти холодные.

— Почему холодные? На меху...

— Надень, говорю, те, эти скользкие, лед на улице.

— Ну тебя к черту! — обозлился дедушка и наконец ушел.

— Баба! Магнитофон можно? — затрепетал я.

— Пожри сначала, что так неймется.

— Но можно?

— Можно, можно...

Пока бабушка готовила гречневую кашу, я бережно вытащил коробку из-за дивана и поставил ее на стол. Я открыл крышку, увидел блеснувшую между пенопластовыми прокладками черную пластмассу, и руки у меня задрожали от волнения. Вдруг раздался звонок в дверь.

— Кто там? — крикнула бабушка.

— Я... Нина... — послышался странно отрывистый голос дедушки.

— Прячь, прячь! — замахала бабушка рукой.

Я быстро стал убирать магнитофон на место.

— Ну... Открывай же... скорей... Не могу...

— Сейчас, погоди... Усрался, что ли? Сейчас, шнур от телефона запутался, не могу пройти.

— Открывай...

Бабушка глянула в комнату и, убедившись, что я поставил магнитофон как было, открыла дверь.

— Что такое?

— Упал, ох... Поскользнулся у гаража... Боком на камни какие-то... Ох... Помогите до кровати дойти... Не могу...

Мы с бабушкой довели скорчившегося пополам дедушку до дивана и усадили.

— Снять... Снять пальто помогите... Бок... Болит, рукой не могу шевелить... Ботинки снимите...

— Говорила тебе — другие надень, — напомнила бабушка, снимая с дедушки меховой сапожок.

— Молчи! Молчи, не доводи! Дай... отдышаться. Болит, вдохнуть не могу... ох...

Сняв с дедушки ботинки, бабушка уложила его на здоровый бок, задрала на нем рубаху и стала смазывать ушиб мазью арники. Взволнованный происшедшим, я стоял рядом, спрашивал: «Деда, как же ты так?» — и, хотя действительно переживал, не мог справиться со своим взглядом, который то и дело притягивался, как магнитом, к стоявшей за диваном желтой коробке. Некстати дедушка поскользнулся.

К вечеру дедушке стало хуже. Он не мог шевельнуться и стонал. Кожа на боку набрякла лиловым. Приехавший врач сказал, что у него трещина в ребре, сделал повязку и велел несколько дней не двигаться. Ночью, когда я уже лег в кровать, а бабушка осталась смотреть с неподвижным дедушкой телевизор, я услышал громкие крики. Дедушка кричал во весь голос и просил бабушку что-нибудь сделать. Бабушка перепуганно голосила. Я решил, что дедушка умирает, и как был, без тапочек, в колготках, бросился к нему в комнату. Все обошлось, боль утихла. Через некоторое время дедушка закричал снова, и опять я вскочил с кровати, чтобы бежать к нему и дежурившей возле него бабушке. Оба раза в голове моей вспыхивало одно-единственное слово — «магнитофон».

Не могу точно сказать, какое чувство пряталось в этом слове. То ли я думал, что вот дедушка умрет и магнитофон достанется мне, как было обещано; то ли боялся, что он умрет, а магнитофон мне не достанется; то ли волновался, что умрет и бабушке будет не до магнитофона. В любом случае за дедушку я не боялся. Я чувствовал себя участником волнующего действия, которое может стать еще более волнующим, и волноваться было интересно. Мне нравилось бежать, встревоженно врываться, спрашивать: «Что случилось?!» Это было словно игра, и только магнитофон был реальностью. То, что дедушка может умереть, не пугало меня. Это моя смерть увела бы меня на страшное кладбище, где я лежал бы один под крестом, видел бы темноту и не мог бы отогнать евших меня червей. Это маму могли убить, и она пропала бы из моей жизни, навсегда унеся из нее все ласковые слова. А что будет, если умрет дедушка, я дальше магнитофона не видел. Дедушка был обстановкой, вроде шелестевших за окном деревьев, о его смерти я никогда не думал, не представлял ее и поэтому не знал, чего же в ней бояться.

Дедушка лежал в кровати несколько дней, на меня в то же время напала простуда-рецидивистка, потом бабушка узнала уроки — магнитофон забылся. Я поглядывал иногда на желтую коробку, но это было лишь печальное воспоминание об упущенном превосходстве. В коробке магнитофон был недоступен. Бабушка с дедушкой никогда не нарушали раз сложившееся равновесие вещей, и если что-то убиралось в ящик или оставалось нераспакованным, через пару дней к этому привыкали, и можно было не сомневаться, что пользоваться вещью никто уже никогда не будет. Коробка с проигрывателем стояла подставкой под настольную лампу, сколько я себя помнил, а свинцовый сундук с посудой, который дедушка привез из Германии вместе с мебелью, громоздился на балконе с тех самых пор. Останься магнитофон на столе, к этому тоже привыкли бы, и медленно, но верно я бы к нему подобрался. Но теперь должно было свершиться что-то необычайное, чтобы он появился из коробки на свет и продержался на виду хотя бы день-другой. В день прихода мамы я совсем уже про него забыл и вспомнил случайно, совсем по другому поводу.

Я сидел за партой, ждал свою Чумочку и услышал, что дедушка уходит. Он все еще охал и хватался за бок от неудачных движений, но уже ходил и даже сам надевал ботинки. Я вспомнил, как бежал ночью на его крики, и вдруг представил, что было бы, если бы так же расшиблась мама! От этой мысли у меня сжалось горло. Я всегда готов был заплакать, если представлял, что с мамой случилась беда. И тут в моей памяти зазвучали дедушкины слова о том, что я люблю не его, а его подарки. Неужели это действительно так?! Я подумал и решил, что, конечно, люблю не подарки, а дедушку, но просто намного меньше, чем маму. А любил бы я маму, если бы она мне ничего не дарила?

Почти все, что у меня было ценного, подарила мне мама. Но я любил ее не за эти вещи, а эти вещи любил, потому что они были от нее. Каждая подаренная мамой вещь была словно частицей моей Чумочки, и я очень боялся потерять или сломать что-нибудь из ее подарков. Сломав случайно одну из деталей подаренного ею строительного набора, я чувствовал себя так, словно сделал маме больно, и убивался весь день, хотя деталь была не важная и даже часто оставалась лишней. Потом дедушка ее склеил, и, оставив внутри себя связанные с мамой переживания, она превратилась в драгоценность, подобных которой у меня было несколько и которыми я дорожил больше всего.

Такими драгоценностями были случайно доставшиеся от Чумочки мелочи. В игрушках я видел прежде всего вещь, а потом маму. В мелочах, вроде стеклянного шарика, который Чумочка, порывшись в сумке, дала мне во дворе, я видел маму и только. Эту маленькую стеклянную маму можно было спрятать в кулаке, ее не могла отобрать бабушка, я мог положить ее под подушку и чувствовать, что она рядом. Иногда с шариком-мамой мне хотелось заговорить, но я понимал, что это глупо, и только часто смотрел на него. В сломанной и склеенной детали я тоже стал видеть только маму. Я перестал использовать ее при строительстве домиков и положил к мелочам, среди которых хранилась даже старая жвачка. Мама как-то меня ею угостила, я пожевал и, завернув в бумажку, спрятал у себя. Большой ценности эта жвачка, конечно, не представляла, я не смотрел на нее, не прятал под подушку, как шарик, но выбросить тоже не мог и хранил, пока она куда-то не затерялась. Мелочи я держал в небольшой коробке, которую прятал за тумбочкой, чтобы ее не нашла бабушка. Коробка с мамиными мелочами была для меня самой большой ценностью, и дороже была только сама мама.

Мама приходила редко. Я начинал ждать ее с самого утра и, дождавшись, хотел получить как можно больше от каждой минуты, что ее видел. Если я говорил с ней, мне казалось, что слова отвлекают меня от объятий; если обнимал, волновался, что мало смотрю на нее; если отстранялся, чтобы смотреть, переживал, что не могу обнимать. Я чувствовал, что вот-вот найду положение, в котором можно будет делать все сразу, но никак не мог его отыскать и суетился, ужасаясь, как быстро уходит время, которого у меня и так было мало.

Обычно мама приходила часа на два, но лишь несколько минут удавалось мне провести так, как я хотел. Остальное время проходило, как хотела бабушка. Она садилась рядом, и обнимать маму становилось при ней неудобно; заводила какие-то свои разговоры, и я не мог с мамой говорить; вела себя, словно меня не существовало, и мне оставалось только смотреть на маму изо всех сил, стараясь взглядом возместить невозможные слова и объятия.

Смотреть тоже приходилось недолго. Разговор, начатый бабушкой неторопливо и дружелюбно, медленно и незаметно переходил в скандал. Никогда не успевал я заметить, с чего все начиналось. Только что, не обращая внимания на мои просьбы дать с мамой поговорить, бабушка рассказывала про актрису Гурченко, и вот уже она швыряет в маму бутылку с «Боржоми». Бутылка разбивается о стену, брызгает маме по ногам шипящими зелеными осколками, а бабушка кричит, что больной старик ездил за «Боржоми» в Елисеевский. Вот они спокойно обсуждают уехавшего в Америку Бердичевского, и вот бабушка, потрясая тяжелым деревянным фокстерьером с дедушкиного буфета, бегает за мамой вокруг стола и кричит, что проломит ей голову, а я плачу под столом и пытаюсь отскрести от пола пластилинового человечка, которого слепил к маминому приходу и которого они на бегу раздавили. Вот мама просит отдать ей шубу, и вот бабушка, крикнув: «На́ тебе, Оленька, шубу!» — поворачивается спиной и спускает зеленые трико, изумляя меня чем-то необъятным и бело-розовым.

— Что ж ты жопу при ребенке показываешь, хулиганка ты! — кричит мама.

— Ничего, это его бабушки жопа, а не какой-нибудь бляди, которая променяла ребенка на карлика! — кричит в ответ бабушка.

Каждый раз мамин приход заканчивался подобным образом, и каждый раз я до последнего момента надеялся, что все обойдется. Не обходилось. Я пробовал унять разгорающийся скандал, плакал, тоже кричал что-то, загораживал маму от бабушки, но меня по-прежнему не существовало. Я даже говорил, будто у меня заложило нос, надеясь, что, забыв про маму, бабушка бросится ко мне с каплями, но не помогало и это. Когда приходила мама, бабушка не соблюдала правил, и скандал вспыхивал, даже если я болел на самом деле.

Выгнав маму, бабушка захлопывала дверь, плакала и говорила, что ее довели. Я молча соглашался. Никогда не укорял я бабушку за происшедшее и после скандала всегда вел себя так, словно был на ее стороне. Иногда я даже со смехом вспоминал какой-нибудь момент ссоры.

— Как она от тебя вокруг стола бегала, — напоминал я.

— И не так еще побегает, сука! Кровью харкать будет! Пришла уже небось. Дай-ка позвоню ей, скажу еще пару ласковых.

Бабушка звонила, и весь недавний скандал повторялся по телефону. Только теперь, оставшись с бабушкой наедине, я не заступался за маму, а, наоборот, смеялся особо удачным выражениям бабушки. Бабушка была моей жизнью, мама — редким праздником. У праздника были свои правила, у жизни свои.

Я не спрашивал себя, почему, оставшись с жизнью один на один, я должен быть с ней заодно и не могу иначе; почему жизнь запрещает любить маму и, когда праздник уходит, я могу любить только стеклянный шарик, а маму тайно ждать; почему бабушка — жизнь, а мама — редкое счастье, которое кончается раньше, чем успеешь почувствовать себя счастливым. Так было, и я не представлял, что может быть по-другому. Иногда, засыпая, я мечтал хотя бы раз провести с мамой целый день, чтобы узнать и запомнить, как это; хоть раз заснуть, зная, что счастье рядом, и, проснувшись, встретить его рядом вновь. Но такого не могло быть никогда, и мечтать об этом было глупо. Рядом со мной и утром, и перед сном была жизнь, а счастья можно было только дождаться, прикоснуться к нему на несколько минут и снова будто пренебрегать им, как только грохнет захлопнутая за его спиной дверь. Сегодня я дождался опять.

Я сидел за партой, писал, сморкался в бумажные салфетки и ждал маму. Скоро она придет, уже почти вечер. Осталось написать пять предложений, и я смогу ждать ее не отвлекаясь. Только бы не оказалось ошибок!

Взяв бритву, бабушка стала проверять, что я написал. Я с волнением смотрел, как она хмурилась над некоторыми словами, как напрягались большой и указательный пальцы, между которыми было зажато лезвие. Но нет... Лицо бабушки разглаживалось, пальцы расслаблялись — ошибок не было.

— Хорошо, — одобрила бабушка. — Так на моих нервах, глядишь, и писать научишься. Еще математику за один день сделаешь, и все на сегодня.

— Но сейчас мама придет!

— Придет подождет, пока закончишь. Давай садись.

Я сел на стул, который от сидевшей на нем только что бабушки показался неприятно теплым, отложил безобидный на сегодня учебник русского и, содрогнувшись, открыл учебник математики. Тут зазвонили в дверь, и цифры примеров стали непонятными значками, в которых ничего нельзя было разобрать.

— Приперлась чумища твоя. Сиди, занимайся. Не сделаешь — скажу, чтоб в другой раз пришла, — сказала бабушка и пошла открывать.

Я замер за партой, прислушиваясь к каждому звуку из коридора. Дверь открылась.

— Здравствуй, мама, — послышался голос моей Чумочки.

Я не решался самовольно встать и выбежать в коридор, но бросился к этому голосу невидимыми руками, обнял его, уткнувшись мысленно в тепло щеки, услышал внутри себя все сказанные им когда-либо ласковые слова. Парта и учебник перестали существовать. Существовал только голос и мои невидимые объятия.

— Боже мой, что у тебя на голове? — спросила бабушка.

— Шапка, мама.

— Это не шапка, это кастрюля просто!

— Другой нету.

— Ну заходи, страхолюдина. Есть будешь?

— Дай чего-нибудь. А где Саша?

— Сидит занимается, просил подождать.

— Я здесь, мам! Я уже все! — закричал я, надеясь, что упрошу бабушку оставить математику на завтра.

— Сиди, сейчас проверю! — крикнула бабушка и, велев маме раздеваться, пошла ко мне.

Не глядя на пустую тетрадь, бабушка взяла меня за плечо и, наклонившись к самому моему лицу, зашептала:

— Слушай меня внимательно... Помнишь, она в прошлый раз приходила, говорила, будто я тебя у нее отобрала, и мы поругались. Ты же не хочешь, чтобы мы ругались опять? Если она снова станет врать, что я тебя не отдаю, что я отобрала тебя, встань, скажи твердо: «Это неправда!» Будь мужчиной, не будь тряпкой слабовольной. Скажи: «Я сам хочу с бабой жить, мне с ней лучше, чем с тобой!» Не смей предавать меня! Не смей Бога гневить! Скажешь как надо, не будешь предателем? Не предашь бабушку, которая кровью за тебя исходит?

— Не предам, — ответил я и, поняв, что математику можно не делать, побежал к маме.

Чумочка ждала меня в дедушкиной комнате на диване и листала оставленную бабушкой книгу «Аллергические заболевания». Я обнял ее за шею и засуетился, чувствуя, как уходят мои минуты, как мало успеваю я посмотреть, прижаться. Сказать я не успел ни слова, в комнату вошла бабушка.

— Что ты будешь, творог или винегрет? — спросила она маму.

— Винегрет давай.

— Лучше творог, винегрет — отец придет, есть будет.

— Давай творог.

— Что все «давай»! Пойдешь на кухню да поешь. «Давать» холуев нету. Привыкла, что жопу до пятнадцати лет подтирали, что ж, и в сорок подтирать теперь?!

— Тридцать шесть, не надо мне прибавлять, — засмеялась мама.

— Да тебе и прибавлять нечего, ты в этой шапке на пятьдесят выглядишь. Да еще пятно это на лбу. Конечно, тобой только карлики интересуются.

Я посмотрел на мамин лоб и с ужасом увидел на нем большое светло-коричневое пятно.

— Видишь? — спросила меня бабушка. — Я тебе говорила.

— Что ты ему говорила?

— Подсыпает тебе твой «гений» чего-нибудь. Скоро вся в таких пятнах будешь.

— Шутки у тебя, мам, ниже среднего, извини, конечно. И ты такое ребенку говоришь?

— Шутки шутками, а онкология наверняка. Что это еще может быть?

— Пигментация какая-то после Сочи. С тела сошел загар, на лице осталось.

— А тебе нужны были Сочи эти? Ребенок твой загибался на руках у меня, так вместо того, чтоб помогать, ты в прислуги черноморские подалась.

Я засмеялся и посмотрел на маму — не обижается ли она, что мне весело от бабушкиных слов. Мама не обижалась и даже усмехнулась тоже.

— Где ж я могла помогать, когда ты меня близко не подпускала? — ответила она.

— Так ты же не как надо делала, а как тебе в голову взбредет! То операцию ему сорвала, по сей день аденоиды не вырезаны, то в цирк увела, так что он неделю задыхался потом. А попросила в школу записать, записала так, что теперь через пол-Москвы ездим. Это ты у нас к поездкам привычная, нам со стариком мотаться невелика радость.

— Я думала, он со мной будет жить.

— С тобой уже живет один. Хватит с тебя.

— Ты творог-то дашь мне? Я с утра не ела.

— Сейчас, — ответила бабушка и пошла на кухню.

Я скорее прижался к маме и хотел рассказать ей что-нибудь, но не знал что. Все незначительные новости вылетели из головы. Мама подвинулась так, чтобы, не убирая объятий, я мог видеть ее лицо, и заговорила сама.

— Ну что, соскучился по мне, стосковался? — спросила она, зная, что это так.

— Да, — ответил я.

— А помнишь, как ты маленький совсем у меня жил и сам меня так же спрашивал... Пришел с гуляния, деловой такой: «Мама, ты скучала без меня?» «Да», — говорю. «Хотела плакать?» — «Собиралась». — «А как ты скучала?» — «Да что ж за скука, за тоска мне без сыночка». А ты говоришь: «Это у тебя тоска, потому что ты таскаешься».

Я недоверчиво засмеялся. То, что я когда-то жил с мамой, казалось мне невероятным. Я помнил ночь с разноцветными лампочками и день рождения, а потом сразу были бабушка и редкие праздники, подобные тому, что случился сегодня. Неужели счастье было когда-то жизнью? Я не помнил этого и не представлял, что такое возможно.

— Да, чуть не забыла. Я тебе принесла кое-что, — сказала мама и, потянувшись к сумке, достала небольшую коробку. — Сначала игру тебе смешную покажу, а потом кассету хорошую послушаем, я взяла. Смотри, игра «Блошки» называется.

Мама достала из коробки круглую металлическую тарелочку с высокими краями и целлофановый пакетик, полный пластмассовых кружочков трех цветов. Три кружочка, по одному на каждый цвет, были размером с трехкопеечную монету, остальные с «двушку». На дне тарелочки была нарисована мишень — пять концентрических колец разных цветов, в середине «десятка».

— Это надо на чем-нибудь твердом, — пояснила мама и, установив тарелочку на диване, высыпала кружочки на книгу про аллергические заболевания.

— Большим кружочком нажимаешь на маленький и стараешься попасть в мишень. Вот так. — Мама надавила на один из кружочков, он прыгнул и попал в тарелочку. Мама засмеялась. — Видишь, как скачет? Поэтому и называется «Блошки». Теперь ты попробуй.

Я попробовал, и мой кружочек тоже попал в тарелочку.

— У тебя семь, у меня пять. Ты выиграл, — сказала мама.

— Давай еще! — загорелся я.

Второй раз я проиграл, но все равно был счастлив как никогда. Рядом сидела мама, я играл с ней, смеялся и разговаривал. У меня была новая игра, и замечательно, что она такая простая. Когда праздник кончится, «блошки» останутся, я буду видеть в них свою Чумочку и, может быть, даже спрячу кружочки к мелочам. А пока у меня еще столько времени! Бабушка задержалась на кухне, я слышу, как она хлопает холодильником. Мы можем сыграть еще раз. Я нажимаю кружочком, и моя «блошка» попадает в девятку. Чтобы обыграть меня, маме нужно «яблочко». Она долго примеривается, нажимает... И попадает в самый центр тарелочки!

— Да у тебя не «блошка», а снайпер какой-то! — обиженно кричу я.

— Творог холодный, из-под морозилки вытащила, подожди, согреется, — говорит вошедшая в комнату бабушка и садится на стул. Игра кончилась. Я поспешно собираю кружочки в тарелочку.

— А я узнала, почему Бердичевский так дешево продал Тарасовой машину, — сообщает бабушка маме, и сразу кажется, что никакой игры не было, а неторопливая беседа, сквозь которую я не могу пробиться, потому что не существую, тянется уже давно. — Он же в Америку уехал, а у нее там родственники. Вот она и наобещала, что они ему помогут. Если так, и он поверил и поэтому продал, то он просто дурак. Она аферистка известная, ей верить нельзя. Теперь она на машинке покатается, а он шиш с маслом увидит. Хотя кто их всех знает... такой шахер-махер кругом, не разберешься.

— Баба, ну мама же ко мне пришла! Дай я с ней поиграю! — прошу я.

— Играй, малахольный. Кто тебе не дает? — удивляется бабушка и снова обращается к маме: — А что, карлика твоего из театра выперли?

— Не выперли, он сам ушел.

— Чего ему засвербило?

— Мам, долго рассказывать... Можно остаться с людьми, которые говорят: «Откажись от авторства, а мы тебе костюм купим»?

— Ну... Всегда можно к общему компромиссу прийти. Его тут не знает никто, и нечего на парное дерьмо с кинжалом бросаться...

— Баба, ну пожалуйста, дай я с мамой поговорю!

— Что он выиграл? Теперь его вообще ни в один театр не возьмут.

— Между нами только, потому что боюсь загадывать, но один режиссер хороший видел постановку, заинтересовался, кто художник. И, представляешь, оказалось, они с Толей были одно время в Сочи знакомы, и ему тогда еще Толины работы нравились. Сейчас ждем ответа, может быть, он его художником на свой фильм возьмет.

— Дай-то бог, может, он и вправду талантливый человек. Не пил бы так только...

— Мам, ты нарочно, что ли, слышать ничего не хочешь? Я тебе уже сто раз говорила, что он два года не пьет.

— Не знаю... Что ж он раньше хлестал?

— А что еще делать, когда не нужен никому.

— Правильно, а теперь он тебе нужен стал. Ребенок тебе незачем, тебе Гойя крымский понадобился! Подставилась под его гений! То он только до звезд доставал, а теперь, поди, и до умывальника иногда дотягивается.

— Баба! Мама! — кричу я безо всякой надежды. — Ну пожалуйста, дайте мне тоже поговорить! Мама, ты ко мне пришла или к бабушке?!

— Ладно, мам, не будем меня обсуждать сейчас, — говорит Чумочка, вняв моим крикам. — Давайте лучше кассету хорошую поставим. Где Сашин магнитофон, ты говорила, папа из Ирака привез... Я Высоцкого принесла.

То, что произошло в следующую минуту, так и осталось для меня непонятным. Про магнитофон я уже совсем забыл, и вдруг он снова появился в моей жизни, вынутый бабушкой из-за дивана так, словно был поставлен туда не на вечное хранение, а на пару минут.

— Иди открывай, я не знаю, как тут... — сказала бабушка, поставив коробку на стол.

Я нерешительно снял картонную крышку и потянул пенопластовые прокладки. Между ними знакомо заблестел гладкий черный пластик. Я не верил происходящему. Мне казалось, что это какой-то розыгрыш.

— Ну открывай, что ты на него, как баран, уставился! — поторопила меня бабушка и пояснила маме: — Я убрала на пару дней, а то бы он никаких уроков не делал, все крутил бы эту бандуру свою.

«Свою!» — сверкнуло последнее слово, и, быстро сбросив прокладки, я установил магнитофон на столе. Так, значит, я все-таки смогу думать: «А у меня "Филипс"!»

Мама достала из сумки кассету, и я был счастлив, что смогу показать ей, как ловко умею обращаться с такой сложной техникой. Послушный магнитофон требовательно, будто протянул руку, открыл кассетную крышку; вздрогнула в прозрачном окошке умная стрелка; зазвучала из динамика гитара; поплыли, сменяя друг друга, цифры счетчика. Мама была под впечатлением!

Высоцкий мне понравился. У Борьки я слышал скучную песню про коней, и нравился мне только хриплый голос певца, который было бы здорово дать послушать из окна прохожим, но совершенно неинтересно слушать самому. А на маминой кассете были записаны смешные песни про жирафа, про гимнастику, про бегуна, который в конце концов пошел заниматься боксом, и слушать их действительно нравилось. Даже бабушка иногда смеялась.

— Верно! Верно! Бег на месте общепримиряющий! Гениальный певец был! — сказала она, когда кончилась короткая кассета. — Так глупо ни за понюх жизнь свою сгубил. Марина Влади хорошо с ним хлебнула, до конца дней хватит. А талантливая артистка была, не прислуга вроде некоторых. И знала, ради кого хлебает. Действительно, гений был, а не с манией величия.

— Я не Марина Влади, хлебать ничего не собираюсь, но чем могу человеку помочь, тем помогу, — ответила мама.

— Ты тут при чем? О тебе вообще речи нет. Хотя тоже артисткой стать могла бы. Как ты в выпускном спектакле играла! Я слезами умывалась, думала, будет толк из дочери. А роль твоя первая! Все говорили: «Пойдет доченька ваша». Пошла... В потаскухи пляжные. Что из тебя теперь? Если только позировать будешь костями своими. Карлик твой, случаем, пляски смерти не пишет?

— Что за язык у тебя, мама? Что ни слово, то как жаба изо рта выпадает. Чем же я тебя обидела так?

— Обидела тем, что всю жизнь я тебе отдала, надеялась — ты человеком станешь. Нитку последнюю снимала с себя: «Надень, доченька, пусть на тебя люди посмотрят!» Все надежды мои псу под хвост!

— А что ж, когда люди на меня смотрели, ты говорила, что они на тебя, а не на меня смотрят?

— Когда такое было?

— Когда девушкой я была. А потом еще говорила, что у тебя про меня спрашивают: «Кто эта старушка высохшая? Это ваша мама?» Не помнишь такого? Я не знаю, что с Мариной Влади было бы, если б ей с детства твердили, что она уродка.

— Я тебе не говорила, что ты уродка! Я хотела, чтоб ты ела лучше, и говорила: «Не будешь есть, будешь уродяга».

— Всякое ты мне говорила... Не буду при Саше. Ногу ты мне тоже сломала, чтоб я ела лучше?

— Я тебе не ломала ноги! Я тебя стукнула, потому что ты изводить начала! Идем с ней по улице Горького, — стала рассказывать мне бабушка, смешно показывая, какая капризная была мама, — проходим мимо витрин, манекены какие-то стоят. Так эта как затянет на всю улицу: «Ку-упи! Ку-упи!» Я ей говорю: «Оленька, у нас сейчас мало денежек, я не могу тебе это купить. Приедет папочка, мы тебе купим и куклу, и платье, и все что хочешь...» «Ку-упи!» Тогда я и стукнула ее по ноге. И не стукнула, а пихнула только, чтоб она замолчала.

— Так пихнула, что мне гипс накладывали.

— У тебя не перелом был, у тебя была трещина, но ты же не жрала ничего, вот и были кости, как спички. Я потому и заставляла тебя лучше есть. Сама голодная ходила, в тебя впихивала. А ты хоть раз поинтересовалась: «Мама, а ты сыта?» Не то что любви, благодарности ни в одном взгляде не было. Только и знала последние жилы тянуть. В больницу приходила, деньги требовала!

— Я не требовала. Я на чулки попросила, а ты начала мне спектакль разыгрывать, как ты скоро умрешь и тогда мне все достанется.

— А ты и сказала, что не можешь ждать, пока я умру!

— Нет, я просто сказала, что чулки мне сегодня нужны.

— Могла бы потерпеть, не таскаться, пока мать в больнице. Но у тебя папочка был перед глазами, потаскун известный, конечно, отстать боялась. Превзошла! Превзошла! Он с гениальными карликами не якшался. Хотя не знаю, они с цирком ездили в Омск на гастроли, там вроде были лилипуты какие-то...

— Баба, ну что вы всё ругаетесь? Дай я с мамой поговорю немножко. Я ее столько не видел...

— Эх, господи, сколько сил ушло, сколько нервов отдано — все впустую. За что, Господи, — одного ребенка похоронила, второго проституткой вырастила?

— Что ж ты меня все в проститутки записываешь? У меня за всю жизнь два мужчины было, а в проститутках я у тебя лет с четырнадцати хожу.

— Я хотела, чтоб ты училась, а не таскалась!

— Я не таскалась, но то, что всю жизнь думала про себя, что такая ученая, а не нужна никому, — это так. И то, что не о ролях думала, а не знала, за чьей спиной от тебя спрятаться, — тоже так. И если вижу сейчас, что есть человек, который меня любит и который ради меня работает с утра до ночи, так, может, в этом и есть мое счастье. Отец тебе всю жизнь отдал, ты этого оценить не умела. Я умею. За это ты меня втаптываешь? А был бы ребенок со мной, которого ты мне пятый год не отдаешь, так, может, я и совсем счастлива была бы.

— Человек твой не ради тебя работает, а ради квартиры, можешь себя не тешить. А ребенка ты сама бросила. Мне держать его не надо, он сердечком своим сам все чувствует. Понимает, кто за него кровью исходит, а кто на урода променял полутораметрового. Спроси — сам скажет. Ладно, пойду пожрать тебе дам. Может, поправишься немного, Гойя твой хоть Козетту с тебя напишет, все ж не совсем прислугой будешь... — И, глянув на меня исподлобья, бабушка вышла из комнаты.

Я снова остался наедине с мамой. Снова получил несколько замечательных минут и засуетился, понимая, что сегодня таких минут больше не будет. Я обнял маму изо всех сил и не знал, предложить ли ей еще раз сыграть в «блошек», попросить ли что-нибудь рассказать или послушать еще Высоцкого.

— Расскажи мне что-нибудь, — решил я наконец.

— Не знаю даже, что и рассказать. Бабушка мне все мысли смешала, сижу, как курица, глазами хлопаю.

— И чего вы с ней все ругаетесь?

— Такие вот мы у тебя... Ругливые. Дядя Толя книжку принес старинную. Называется «Заветные сказки». Старинные сказки русские, необработанные. Там такие тексты, ну точно как бабушка выдает.

— Как? — засмеялся я.

— А вот так! — обрадовалась мама тому, что заинтересовала меня рассказом. — Про попа, например, есть сказка, как к нему мужик нанялся работать и назвался Какофием. Работать не работал, стащил калачей связку, в шапку попу наложил и сбежал. Поп его искать бросился, надел шапку, выбегает за ворота и кричит: «Не видали ли, люди, Какофья?!» А ему отвечают: «Видим, батюшка, каков! Что ж ты весь в говнах?»

Я захохотал так, что в груди у меня захрипело. От сильного смеха мне иногда сжимало легкие, как во время болезни, только не так сильно, и проходило это само, без порошков Звягинцевой.

— А еще какие? — нетерпеливо спросил я.

— Про петушка есть еще смешнее. Был петушок один, отправился путешествовать. Вот идет он по лесу, встречается ему лиса...

— Оля, иди есть! — крикнула из кухни бабушка.

— Я поем, дорасскажу тебе.

— Расскажи сейчас! — испуганно уцепился я за ослабевшие объятия. — Потом вы опять с бабушкой кричать будете, а мы так и не поговорим.

— Поговорим обязательно, я же еще не ухожу.

— Ну я же знаю, как будет! Не уходи, подожди!

— Ты же не хочешь, чтоб я с голоду умерла?

— Ты поешь, только про петушка расскажи. Коротко хотя бы...

— Ну, он встречает лису, волка, медведя, все у него спрашивают: «Куда ты, петушок, идешь?» «Путешествовать...»

— Ты есть идешь или нет? Что я, тебе еще и набиваться должна!

— Я пойду, а то она ругаться начнет.

— Мама...

— Сейчас я вернусь.

Объятия разорвались. Чумочка встала и пошла к двери. Тысячи невидимых рук бросились за ней, но понуро вернулись к груди, бессильные заменить две настоящие. Я знал, что мама скоро уйдет и обнять ее я уже не смогу. Но мама выглянула в коридор, быстро вернулась ко мне, прижала и зашептала в ухо:

— Не грусти, сыночка. Скоро дядя Толя получит хорошую работу, у нас будет много рубликов, и я смогу тебя забрать. Мы давно хотим, но нам вдвоем сейчас совсем жить не на что — как мы втроем будем? Обязательно заберу тебя! И поговорим тогда, и поиграем, и все, что захочешь. Все время вместе будем, обещаю тебе. Ну не куксись, кисеныш. Что ты, как маленький совсем? Я же здесь еще. Сейчас приду к тебе опять.

— Ты идешь или нет?! — снова крикнула бабушка.

— Сейчас вернусь, здесь с тобой рядом поем, — пообещала Чумочка и вышла из комнаты.

Я остался один на диване. Во всем, что прошептала мне мама, важны были только слова «я приду к тебе, кисеныш», остальное было продолжением сказки, ответом на просьбу поговорить. Этого не могло быть на самом деле. Мама не могла меня забрать, счастье не могло стать жизнью, и жизнь никогда не позволила бы счастью заводить свои правила. Она устанавливала свои, и только им я мог подчиняться, подстраиваясь, чтобы любить маму, ничего не нарушая.

— Сейчас она вернется, скажи, что тебе неинтересно сказки какие-то слушать, про петушка... — зашептала бабушка, появившись в комнате вскоре после того, как из нее вышла мама. — Пусть она сама в говнах ходит, что она за дурачка тебя держит. Скажи, что тебя техника интересует, наука. Имей достоинство, не опускайся до кретинизма. Будешь достойным человеком, все тебе будет — и магнитофон, и записи. А будешь, как недоросль, байки дешевые слушать, будет к тебе и отношение такое...

— Что ж ты ребенка против меня настраиваешь? — осуждающе сказала мама, войдя в комнату с тарелкой творога. — Что ж ты покупаешь его? Он слушал, у него глаза загорелись. Как он может сказать, что ему неинтересно было? Зачем ты так? Иезуитка ты!

— Никто его не покупает! Зачем ему мать, которая припрется раз в месяц да еще сожрет то, что ему куплено?! Чтоб тебе этот творог комом в горле встал! Даже волчица у сына своего куска не отнимет!

— Спасибо, мам, я наелась... — сказала мама, поставив тарелку с творогом на стол.

— Ох, какие мы гордые! Жанна д'Арк пятнистая, держите меня! Что ж ты, такая гордая, прислугой нерасписанной в своей квартире ходишь? Знаю почему — боишься, что распишешься, а он тебя коленом под зад да в разменную квартиру помоложе приведет, не такую высохшую. А он так и сделает! У него уж и на примете есть одна. Я видела!

— Кого ты видела?

— Увидишь, когда приведет.

— Баба, нос заложило, — сказал я, дергая бабушку за руку. — Закапай что-нибудь.

— Будешь одна, никому не нужная, без мужа, без детей — поймешь, каково мне пришлось всю жизнь в одиночестве задыхаться. Все отдавала! Внутренности вынимала — нате, ешьте! Хоть бы капля сочувствия мелькнула! Как должное хапали!

— Про мужа не знаю, а в ребенке ты мне не отказывай! Хоть он и с тобой живет, хоть ты его и настраиваешь, а он все равно мой!

— Нет у тебя ребенка! Променяла! У тебя карлик есть, его бди! Это мой ребенок, я его муками выстрадала!

— Что ж ты муками своими руки себе так развязываешь?!

— Что, сволочь?! Что я муками своими делаю?! — крикнула бабушка и схватила с буфета деревянного фокстерьера.

Я бросился к ней и, плача от ужаса, стал загораживать маму. Один раз подобное уже было, и я не помнил чего-либо страшнее. Страх застилал мне глаза. Я видел только острый угол подставки и хотел одного — чтобы тяжелая деревянная собака осталась на месте.

— Баба, не надо! Не надо!

— Уйди, гнида, не путайся под ногами!

— Ненормальная, что ты делаешь?! — крикнула мама, убегая от бабушки за стол. — Поставь собаку!

— Не бойся, поставлю, — презрительно сказала бабушка, устанавливая фокстерьера на прежнее место и смахивая с него рукавом пыль. — Отцу подарили, я об такую курву марать не стану. Да ты и не курва даже, ты вообще не женщина. Чтоб твои органы собакам выбросили за то, что ты ребенка родить посмела.

— За что ж ты ненавидишь меня так? — спросила мама, и по щекам ее потекли слезы. — За что ж при сыне меня так топчешь? Все забрала! Вещи забрала, сына забрала, так ты и любовь его забрать хочешь? Сашенька! — Мама вдруг схватила с вешалки мое пальто. — Пойдем со мной! Пойдем, я тебя забираю...

— Оставь пальто, сука, не тобой куплено! — крикнула бабушка и снова замахнулась фокстерьером. — Только подойди к нему!

Мама отшатнулась.

— Ха, — сказал я и посмотрел на бабушку. — Да я бы и не пошел с ней. Я сам хочу с тобой жить. Мне тут лучше.

— Все отняла! Все отняла! — в голос зарыдала мама и, отбросив мое пальто, кинулась к своей куртке.

— Давай, давай, катись отсюда! — говорила бабушка, пока она одевалась. — И приходить больше не смей. Иди карлику яйца потные вылизывать, пока он тебя терпит! Недолго еще!

Мама открыла дверь и с громким плачем бросилась вниз по лестнице. Бабушка распахнула балкон, схватила стоявшую под столом кастрюлю и с криком: «На, Оленька, ты есть просила!» — вылила ее содержимое вниз.

— Хорошо я ее приделала! — сообщила она, закрывая балконную дверь.

— Попала?

— Стоит, вермишель с плеча стряхивает.

Я засмеялся. Праздник кончился, началась жизнь. Я не мог больше любить свою Чумочку. Я мог любить только свои тайные мелочи, а счастьем должен был пренебрегать.

— А это что за дерьмо она тут оставила? — спросила бабушка, глядя на диван.

— Это... блошки, — испуганно ответил я.

— Блошки?! Ну-ка дай сюда!

Схватив тарелочку и кружочки, бабушка понесла их из комнаты.

— Отдай! Куда ты их! Отдай!

— Блошки! Я лекарства по пятьдесят рублей покупаю, а она блошки приносит! Чтоб у нее блошки прыгали по телу до самой смерти!

Бабушка принесла блошки на кухню и открыла мусоропровод.

— Не надо! — кричал я, хватая ее за руки. — Не надо, оставь! Это мама подарила!

— Мама?! Я тебе жизнь дарю свою, а таких блошек могу купить сто и все переломать на голове! Убери руки!

— Не надо! Не надо, пожалуйста! Это мама...

Зацокали по дну ковша пластмассовые кружочки, звякнула тарелочка. Ковш, рявкнув заржавленными петлями, закрылся.

— Что ты сделала?! — закричал я, заливаясь слезами, и бросился в спальню, на кровать. — Что ты сделала?!

— Что плачешь из-за дерьма копеечного?! Мужчиной будь! У тебя магнитофон есть, он подороже будет! Будешь реветь, заберу, больше не получишь!

— Что ты сделала?! — плакал я. — Как ты могла?! Никогда... Сволочь ты... Сволочь! Сволочь!

На следующий день я сидел на кровати и разглядывал пластмассовый кружочек, который случайно нашел около мусоропровода. Дома никого не было, и я мог глядеть на него сколько угодно. Отчего-то мне захотелось плакать, и чтобы стало грустнее, я решил сделать то, что всегда раньше считал глупым.

— А подарок твой она выбросила, — пожаловался я кружочку. Звук собственного голоса в пустой комнате послышался мне таким жалобным, что слезы не замедлили появиться. — Где ты теперь? Сколько тебя еще ждать... —

говорил я, и с каждым словом из глаз выкатывались новые капли.

Вдруг раздался звонок в дверь. Я вздрогнул. Бабушка предупреждала, что, если я останусь один и будут звонить, я должен затаиться и сидеть тихо, потому что Рудик хочет ограбить квартиру и ждет, когда дома никого, кроме меня, не будет. Так вот он пришел и хочет, чтобы я открыл ему! Я испуганно сжался. Глаза зачесались от высохших мигом слез, но я боялся поднять руку, чтобы протереть их. Тихо. Может, все? Звонок повторился. Повторился еще раз и залился настойчивым трезвоном, от которого заметалось все внутри. В груди похолодело. Казалось, если я буду сидеть тихо и ничего не делать, Рудик выломает дверь этими требовательными звонками и доберется до меня, неподвижного, еще скорее. Замирая от страха, я встал и прокрался в коридор. Звонок разрывался у меня над головой. Рудик не верил, что меня нет дома! Он знал, что я один!

— Кто там? — спросил я дрожащим голосом, ожидая, что сейчас буркнет Рудиков бас, и тогда я с криком брошусь от двери.

— Я, — послышался голос моей Чумочки. — Открывай быстрее!

— Мама?!

Я не задумываясь открыл дверь. Чумочка вошла и, даже не обняв меня, торопливо сняла с крючка мое пальто.

— Собирайся скорее, пойдем со мной.

— Куда?

— Ко мне. Жить. Я тебя забираю.

— Как?

— Останешься у меня насовсем. Одевайся.

Не знаю почему, но в одну секунду я поверил, что это правда. Это было преступлением. Неслыханным преступлением, но, может быть, из-за пережитого только что страха я не думал, что же мы с мамой творим, и чувствовал только ликование. Бездумное ликование, от которого хотелось пнуть что-нибудь ногой.

— Давай скорее, бабушка в магазине, сейчас придет. Что ты с собой берешь?

— Вот! — показал я свою коробку, которую успел уже вытащить из-за тумбочки и в которую спрятал прилипшую к вспотевшей ладони блошку.

— Все?

— Все.

— Шарф надевай, метель на улице! Где он у тебя?

— Не знаю.

— Ищи скорей.

Чувствуя себя грабителем, который мечется по дому, куда вот-вот вернутся хозяева, я бросился на поиски шарфа. Его нигде не было.

— Ладно, я тебе свой отдам. Замотай лучше, ты же простужен. Пошли.

Мы с мамой захлопнули дверь и вошли в лифт.

«Успели! Успели!» — билась мысль, когда мы вышли из подъезда и, пряча лица в воротники от густой холодной метели, пошли к метро.

«Успели!» — ликовал я, когда мама дала мне в метро высыпавшиеся из разменного автомата пятаки.

«Успели...» — думал я устало, когда мы переступили порог ее квартиры.

Казалось, я должен был бы радоваться, суетиться, получив в свое распоряжение столько чудесных минут, или, наоборот, неспешно располагаться, зная, что смогу теперь говорить с мамой сколько захочется, но я сел в кресло, и все стало мне безразлично. Мне казалось, что время остановилось и я нахожусь в каком-то странном месте, где дальше вытянутой руки ничего не существует. Есть кресло, есть стена, с которой удивленно смотрит на меня вырезанная из черной бумаги глазастая клякса, и ничего больше нет. А вот еще появилась мама... Она улыбается, но как-то странно, как будто извиняется, что привела меня в такой ограниченный мир. Только теперь я понял, что́ мы с ней совершили. Мы не просто ушли без спросу из дома. Мы что-то сломали, и без этого, наверное, нельзя будет жить. Как я буду есть, спать, где гулять? У меня нет больше железной дороги, машинок,

МАДИ, Борьки... Есть коробка с мелочами, она лежит в кармане пальто, но зачем открывать ее, если мама сидит рядом? И где теперь бабушка? Ее тоже больше не будет?

Я встал с кресла и прижался к маме, чтобы вознаградить себя за все потери счастьем, минуты которого не надо теперь считать, и с ужасом почувствовал, что счастья нет тоже. Я убежал от жизни, но она осталась внутри меня и не давала счастью занять свое место. А прежнего места у счастья уже не было. Невидимые руки хотели обнять маму, чтобы больше не отпускать, хотели успокоиться свершившимся раз и навсегда ожиданием — и не могли, зная, что почему-то не имеют на это пока права. Я тревожно подумал, что надо скорее вернуть все обратно, и понял, что тогда это право вовсе уйдет от них навсегда. Мне стало жарко. Я уткнулся маме в плечо и закрыл глаза. В темноте замелькали красные пятна.

— Да у тебя температура, — сказала мама и, взяв меня на руки, опустила в теплую воду.

Я поплыл. По красному небу над моей головой носились черные птицы. Крылья у них были бесформенные, словно тряпки. Я нырнул и стал спускаться вдоль отвесной белой стены...

Мама укрыла меня в кровати одеялом и, притворив дверь, вышла из комнаты, когда в квартиру вошел Толя.

— Я все сделала, как ты сказал, — волнуясь, сообщила ему мама. — Мать в магазин пошла, я его увела.

— Где он?

— Лежит, разболелся совсем. Метель на улице, он и так простужен был... Толя, что я наделала! Мать меня уничтожит!

— Он будет с нами, мы это вчера решили. Скандал будет, и не один, но поддаваться не смей. Хватит ребенка калечить. Ты его мать. Почему он должен с сумасшедшими стариками жить?

— Она опять его отнимет. Она придет, я сдамся. Это мы повод придумывали, что денег у нас нет, что пока не расписаны... А я боюсь ее! Я только сейчас поняла, как боюсь! Забирала его, будто крала что-то. Такое чувство, что это не мой ребенок, а чужая вещь, которую мне и трогать запрещено. Она придет, я с ней не справлюсь. Она все, что захочет, со мной сделает... Толечка, не уходи никуда хотя бы первые дни! Будь рядом!

— Я не только не уйду, я считаю, что и говорить с ними я должен. На тебя они влияют, а я им скажу все, как мы решили. То, что мы расписываемся, им все равно, но теперь я хоть говорить могу. Какие у сожителя права заявлять родителям, что внук с ними больше не живет?

— А я тоже прав не чувствую! Я будто преступление совершила и кары жду. Они меня опять растопчут! Вырвут его, как тогда, пихнут в грудь, и все. А я и слова против не скажу, пойду только слезы глотать...

— Подумай еще раз и скажи мне одно — ты решилась насовсем его взять и отстаивать или думаешь, как получится? Если не решилась до конца, лучше вези обратно прямо сейчас.

— Да он болен совсем, как я его повезу?

— Значит, не решилась... Тогда и говорить нечего. Отдашь, когда поправится, и все. Но скоро он не только бабушке будет говорить, что маму не любит, но и тебе тоже.

— Как?

— Так. Он вчера почти что это сказал...

Я спускался все глубже и глубже. Гладкая белая стена тянулась куда хватало глаз, и я боялся, что ничего не найду. Где же это? Должно быть, здесь... Нет, опять ничего. Никогда, никогда не найду я теперь ту дверь! Что это? Откуда-то сверху донесся телефонный звонок. Я поспешил на поверхность, вынырнул под красное небо и услышал его совсем рядом. Но черные птицы шумели своими крыльями, задевали ими по глазам и мешали понять, где я нахожусь. Я моргнул. Птицы испуганно разлетелись, красное небо лопнуло, и я увидел дверь. Но это не та дверь... Та должна быть в белой стене, а здесь стена голубая и на ней черная, с длинными отростками клякса. Но я слышу голос мамы... Она сказала, что решилась. А мужской голос ответил, что будет тогда говорить. Кто это? Рудик? Звонки прекращаются. Рудик говорит: «Здравствуйте, Семен Михайлович». Дедушка пустил его? А где мама? Что бабушка с ней сделала? Видение двери растворяется в красном небе. Снова слетаются черные птицы. «Он останется у нас, это решено», — доносится из-за шума крыльев голос Рудика, и я опять ныряю на поиски двери, которая мне так нужна...

— Здравствуйте, Семен Михайлович, — говорил Толя по телефону. — Да, Оля его забрала. Он останется у нас, это решено. Ну вот так мы с Олей решили... Не по-хулигански, а потому что иначе нельзя было. А как иначе? И я тоже не знаю... Какие лекарства? Сашины лекарства... Ну, Оля же не знала про них... Гомеопатия? Сейчас прямо? Это необходимо? Хорошо. Всего доброго.

— Куда ты?

— Отец твой просил за гомеопатией приехать. По телефону скандал выслушал, еще один лично — и, надеюсь, все на сегодня. Вообще он был достаточно спокоен. Может, поговорю с ним наедине, объясню все. Саша проснется, предупреди его про меня. А то до сих пор ведь, наверное, думает, что я злодей и за голову его тогда поднял, а не за плечи.

Мама закрыла за Толей дверь, достала из тумбочки банку мази и стала растирать мне спину.

В розовой, наполненной светом красного неба глубине я шарил по гладкой белой стене. Вода стала горячее, и плавать было жарко. Я чувствовал, что долго не выдержу. Стена нескончаемо тянулась вдаль, вниз и вверх, и я понимал, что ничего не найду.

«Может быть, дверь откроется в любом месте?» — подумал я и закричал:

— Мама! Открой!

Вместо громкого голоса изо рта моего вырвалось G, и вверх поплыли красные пузыри. Я закашлялся, но все равно продолжал кричать.

— Открой! — кричал я, ударяя в стену кулаками и всем телом. — Я хочу с тобой жить! Я только тебя люблю! Только тебя! Открой!

Дверь открылась... Круглый туннель возник передо мной в стене, и я поплыл по нему, петляя многочисленными поворотами. Я повернул еще раз и в ужасе замер. В темно-красных сумерках неподвижно висел огромный черный осьминог. В щупальцах его было зажато по свече, и он медленно кружил ими перед собой, в упор глядя на меня круглыми злыми глазами. Осьминог не нападал, но немое кружение свечей было страшнее нападения. В нем пряталась угроза, от которой нельзя было укрыться, как от колдовства. А может, это и было колдовство? Я развернулся и изо всех сил поплыл назад к двери. Осьминог пустился за мной. Туннель ушел вниз глубоким колодцем, и воск со свечей потек прямо мне на спину. Я выгнулся от нестерпимого жжения, но выплыл из туннеля и, схватив дверь за ручку, потянул на себя, чтобы закрыть. Тут я увидел, что ко мне плывет бабушка. Она сунула руку в карман, и навстречу мне зазмеилось что-то длинное.

«Ну что, предатель, шарфик-то забыл, — сказала бабушка. — Я принесла. Принесла и удавлю им...»

Я закричал, бросился обратно в туннель и захлопнул дверь. Бабушка стала звонить.

— Кто там? — спросил я почему-то маминым голосом.

— Я, сволочь! — ответила бабушка.

— Чего ты хочешь?

— Открой немедленно!

Я бросился плыть прочь обратно по туннелю и неожиданно выплыл на поверхность. Черные птицы носились вокруг меня, и за шумом их крыльев слышался бабушкин голос:

— Такая сука, что выдумала! Увела... О-ой! О-ой, что сделала с ним! По метели через всю Москву... Насквозь простужен, как поднять его теперь! Саша! Сашенька... Чем ты его намазала?! Чем ты ему спину намазала, сволочь?! Чтоб тебе печень тигровой мазью вымазали! Там салицила, у него же аллергия! Будь ты проклята! Будь ты каждым проклята, кто тебя увидит! Будь ты каждым кустом проклята, каждым камнем! Где пальто его? Где пальто его? Отец в машине сидит ждет!

Черные птицы слетелись в плотные стаи и бросились на меня. Я отбивался, но они хватали меня клювами за руки, за шею, переворачивали и говорили бабушкиным голосом:

— Привстань, любонька. Привстань, деда ждет нас. Протяни руку в рукавчик. Помоги, сука, видишь, он шевельнуться не может! Что сделала с ним! Чтоб тебя за это, мразь, дугой выкрутило! Помоги, сказала, что стоишь?!

Черные птицы бросились все вместе мне на голову, залепили лицо. Я схватился руками за глаза, разорвал пелену шумящих крыльев и увидел бабушку. Она натягивала на меня вязаный шлем. Мама, плача, застегивала на мне пальто.

— Сашенька, идти можешь, солнышко? — спросила бабушка. — Только вниз спустимся, там деда нас на машинке повезет. Что сделала с тобой курва эта... Что ж ты пошел, дурачок, за ней?

Шлем налез мне на глаза, но птицы стащили его и снова закружились надо мной. Я нырнул и решил спрятаться от них в туннеле.

— Поможешь снести его, видишь, он идти не может! — слышал я бабушкин голос, уплывая в глубь жаркой розовой воды. — И больше, сука, не увидишь! Карлик твой прокатится — вернется — плодите с ним уродов себе, а к этому ребенку близко больше не подойдешь! Бери, сволочь, под другую руку, пошли вниз! Что?! Что ты сказала?! Да я с тобой знаешь что сделаю...

— Люди, помогите! — прорвался откуда-то мамин крик.

— Боишься? Правильно боишься! Думала, я только кричать способна? Голову проломлю сейчас лампой этой! Я душевнобольная, меня оправдают. А совесть чиста будет, сама родила, сама и гроб заколочу. Пошла отсюда! Сама донесу. Хватит сил и на мощи его, и на тебя еще, гниду, останется.

Я подплыл к отверстию туннеля и хотел в нем спрятаться, но почувствовал, как что-то обхватило меня под мышками. Я обернулся. Это был осьминог.

— Лифт вызывай, видишь, руки заняты, — сказал осьминог бабушкиным голосом и, обвив меня щупальцами за грудь, потащил прочь от стены.

Сопротивляться было невозможно. Спасительное отверстие туннеля понеслось от меня, уменьшаясь до размеров точки, и вдруг вспыхнуло ярким красным огоньком на серой стене.

Стена раздвинулась створками, из-за которых хлынул желтый свет, а вдалеке я увидел себя в пальто и в шлеме на руках у бабушки. Зеркало... Лифт...

— Потерпи, кутенька, скоро дома будем, — прошептала бабушка мне на ухо и, повернувшись назад, сказала: — И запомни: ни звонить, ни приходить больше не смей. Нет у тебя ребенка! Ты не думай, что если он пошел за тобой, ты ему нужна. Я-то знаю, как он к тебе относится. Он тебе сам скажет, дай только поправиться... Ты что делаешь, сволочь?! — закричала бабушка вдруг.

Зеркало и желтый свет закрылись створками, и осьминог в темноте стал крутить меня в разные стороны. Красный огонек прыгал перед глазами, но вот он исчез, и я понял, что теперь целиком во власти тянущих меня щупалец.

— Пусти! Пусти, убью! — кричала где-то в темноте бабушка.

— А убивай, мне терять нечего!

Хватка осьминога вдруг ослабла, я почувствовал, что лечу.

— Упал! Упал, господи! — слышал я далекие крики. — Ты что делаешь? Посмотри, что с ребенком твоим! Психопатка, ты что мать в грудь толкаешь? Ах ты сволочь! Смотри-ка, сильная! Психопатки все сильные! Ребенок! Ребенок на полу лежит! Ах, тварь высохшая... Чтоб тебе отсохла рука эта! Справилась, сво-

лочь, со старухой больной? Ну сейчас я отца
приведу! Попробуй только дверь не открыть!
С милицией выломаем! Ребенка подними, лежит на камнях холодных...

Мама взяла меня на руки и отнесла в квартиру. Она положила меня на кровать, сняла с
меня пальто и шлем, укрыла одеялом. Я остался в спокойной темноте и заснул.

— Ну, сволочь, сейчас будет тебе, — говорила бабушка под дверью маминой квартиры. — Отец за топором пошел, сейчас дверь
будем ломать. Выломаем, я тебе этим же топором голову раскрою! Открой лучше сама
по-хорошему! У отца и в милиции знакомые
есть, и в прокуратуре. Карлика твоего в двадцать четыре часа выселят, не думай, что про-
писать успеешь. По суду ребенка отдашь, если так не хочешь. Отец уже на усыновление
подал. А тебя прав родительских лишат. Отец
сказал, что и машину свою не пожалеет ради
этого, перепишет на кого надо. Что молчишь?
Слышишь, что говорю? Открой дверь... За-
тихла, курва? Я знаю, что слышишь меня. Ну
так слушай внимательно. Я в суд не буду обращаться. Я тебе хуже сделаю. Мои проклятья
страшные, ничего, кроме несчастий, не увидишь, если прокляну. Бог видел, как ты со
мной обошлась, он даст этому свершиться. На
коленях потом приползешь прощенья молить,
поздно будет. — Бабушка прижалась губами

к замочной скважине. — Открой дверь, сволочь, или прокляну проклятьем страшным. Локти до кости сгрызешь потом за свое упрямство. Открой дверь или свершится проклятье!

Мама сидела, обхватив голову руками, на кровати, где я спал, и не двигалась.

— Открой, Оля, не ссорься со мной. Тебе все равно лечить его, а у меня все анализы, все выписки. Без них за него ни один врач не возьмется. Не буду зла на тебя держать, заберу назад все слова свои, пусть у тебя живет. Но раз такая обуза на наших плечах, давай вместе тянуть! Денег нет у тебя, а у отца пенсия большая, и работает он. Сейчас еще за концерты получит. Все тебе будет: и деньги, и продукты, и вещи ему любые. У тебя же, кроме пальто этого, нет ничего, все у меня осталось. Во что ты его одевать будешь? И учебники его у меня, и игрушки. Давай похорошему. Будешь человеком, буду тебе помогать, пока ноги ходят. А будешь курвой, сама с ним будешь барахтаться. А чтоб ты и захлебнулась, раз такая сволочь!.. Оля, открой, я только посмотрю, как он. Не буду забирать его, куда его больного везти. И отец уехал, не стал ждать меня. Правда уехал. Послал к черту, поехал домой. Открой дверь, детка, нельзя же, чтоб ребенок без помощи столько был. Сейчас Галине Сергевне позвоню, врачу его. Она приедет, банки поставит. Что ты, своему же ребенку погибели хочешь? Вот сволочь, и ребенка сгноить готова, лишь бы мать не пустить! Что ж тебе, упрямство дороже сына? Открой дверь! Откро... ой! Ой! Ах... Ах-а-ах... — Бабушка сползла по двери на пол. — Довела... Довела, сволочь, голову схватило. А-ах. Не вижу ничего. Так и инсульт шарахнет. Где же нитроглицерин мой?.. Нету! Нет нитроглицерина! Ах... Погибаю! Врача... «Скорую» вызови... Инсульт! Ах... Нитроглицерин дай мне... Сволочь, что ж ты мать под дверью подыхать оставляешь... Не вижу ничего... Врача... Мать погибает, выйди хоть попрощайся с ней... Вот ведь мразь воспитала, бросила мать под дверью как собаку. Ну тебя Бог покарает за это! Сама в старости к сыну своему приползешь, а он тебя на порог не пустит. Он такой! Он мне говорил, как к тебе относится. Это ты придешь, он тебе на шею виснет, а только ты за порог, так он тебя с любой грязью смешать готов. Пусть у тебя остается, мне такой предатель двуличный даром в доме не нужен. Пусти только, проверю, как он, чтоб совесть чиста была. Что ж я, из-за тебя перед Богом вину нести должна? Господи, за что ж такая судьба мне? — заплакала бабушка. — За что милосердия мне на троих послал? За что, за милосердие, тобой же посланное, такие муки шлешь? Всю жизнь дочери отдавала! Болела она желтухой, последние вещи снимала с себя, чтоб лимонами ее отпаивать. Платье ей на выпускной надо было, пальто свое продала, две зимы в рубище ходила. Кричала на нее, так ведь от отчаяния! Доченька, сжалься над матерью своей, не рви ей душу виной перед ребенком твоим. Вон он кашляет как! А у меня лекарство с собой! Сейчас бы дала ему да поехала домой. И он бы спал спокойно, и я бы уснула с чистой совестью. Уснула, да хоть бы и не проснулась больше... Пусти, Оленька, что ж я, выть должна под дверью? Тебе слезы мои приятны, да? Отплатить мне хочешь? Ну прости меня. Больная мать у тебя, что ж, топтать ее за это? Топтать каждый может, а ты прости. Покажи, что величие есть в тебе. Боишься, опять кричать начну? Не буду... Простишь, буду знать, что недостойна голос на тебя повысить. Ноги тебе целовать буду за такое прощение! Грязная дверь у тебя какая... Слезами своими умою ее. Весь порог оботру губами своими, если буду знать, что тут доченька живет, которая матери своей все грехи простила. Открой дверь, докажи, что ты не подстилка, а женщина с величием в душе. Буду спокойна, что ребенок достоин такой матери, уйду с миром. Открой! Что ж, так дешевкой и останешься... Слышишь меня? Ответь хотя бы! Ах, сволочь, ничего слышать не хочешь! Оля,

Оленька... Открой дверь! Нет у меня лекарства никакого, но я хоть рядом буду, руку ему на лобик положу. Пусть он у тебя будет, но рядом-то быть позволь! Что ж ты душу мою заперла от меня?! Открой, сволочь, не убивай! Будь ты проклята! Чтоб ты ничего не видела, кроме горя черного! Чтоб тебя все предали, на всю жизнь оставшуюся одну оставили! Открой дверь! Пусти к нему... — Бабушка стала колотить в дверь ногами. — Закрыла, чтоб тебя плитой закрыли могильной! Проклинаю тебя! Проклинаю и буду проклинать! Змеей вьюсь, чтоб ты дверь эту открыла, так ты ж ею сердце перещемила мне! Не надо мне прощения твоего, сволочь, но боль мою пойми! Пойми, что лучше б мне в детстве умереть, чем всю жизнь без любви прожить. Всю жизнь другим себя отдавала, заслужить надеялась! Сама любила как исступленная, от меня как от чумной бежали, плевками отплевывались! Что ты, что отец, что твой калека несчастный. Алешенька любил меня, так он крохой из жизни ушел. Какая у крохи любовь? А чтоб так, как тебя, за всю жизнь не было! Думаешь, не вижу, кого он из нас любит? Хоть бы раз взглянул на меня, как на тебя смотрит. Хоть бы раз меня так обнял. Не будет мне такого, не суждено! А как смириться с этим, когда сама его люблю до обморока! Он скажет «бабонька», у меня внутри так и оборвется что-то слезой горячей, радостной. Грудь ему от порошка моего отпустит, он посмотрит с облегчением, а я и рада за любовь принять это. Пусть хоть так, другого все равно не будет. Пойми же, что всей жизни голод за шаг до смерти коркой давлюсь-утоляю! Так ты и этот кусок черствый отбираешь! Будь ты проклята за это! Оля... Оленька! Отдай мне его! Я умру, все равно он к тебе вернется. А пока будешь приходить к нему сколько хочешь. Кричать буду — внимания не обращай. Проклинать буду — ну потерпи мать сумасшедшую, пока жива. Она сама уйдет, не гони ее в могилу раньше срока. Он последняя любовь моя, задыхаюсь без него. Уродлива я в этой любви, но какая ни есть, а пусть поживу еще. Пусть еще будет воздух мне. Пусть еще взглянет он на меня разок с облегчением, может, «бабонька» еще скажет... Открой мне. Пусти к нему...

Мама стояла у двери. Она взялась за замок и стала открывать.

— Нина Антоновна, что вы нам тут концерты устраиваете? — послышался голос Толи. — Саша остается с нами, это решено, а вас Семен Михайлович дома ждет. Что вы с нами делаете? Меня выманиваете, как мальчика, его дверь ломать просите. Езжайте-ка домой, вам тут не подмостки. Хватит с нас Анны Карениной на сегодня.

— Сговорились! Сговорились с предателем! Знала, что до конца предаст! Чувствовала! Будьте вы прокляты все! Будьте прокляты во веки веков за то, что сделали со мной! Чтоб вам вся любовь, какая в мире есть, досталась и чтоб вы потеряли ее, как у меня отняли! Чтоб вам за этот день вся жизнь из таких дней состояла! Будьте прокляты! Навеки прокляты будьте! Будьте прокляты... — Продолжая кричать и плакать, бабушка уехала вниз на лифте. Толя вошел в квартиру.

...Я проснулся среди ночи, увидел, что лежу в темной комнате, и почувствовал, что меня гладят по голове. Гладила мама. Я сразу понял это — бабушка не могла гладить так приятно. И еще я понял, что, пока спал, мое ожидание свершилось. Я был уверен, что навсегда остался у мамы и никогда не вернусь больше к бабушке. Неужели теперь я буду засыпать, зная, что мама рядом, и просыпаться, встречая ее рядом вновь? Неужели счастье становится жизнью? Нет, чего-то недостает. Жизнь по-прежнему внутри меня, и счастье не решается занять ее место.

— Мама, — спросил я. — А ты обиделась, когда я сказал, что хочу жить с бабушкой?

— Что ты! Я же понимаю, что ты для меня это сказал, чтоб мы не ругались.

— Я не для тебя сказал. Я сказал, потому что ты бы ушла, а я остался. Прости меня... И прости, знаешь за что — я смеялся, когда бабушка облила тебя. Мне было не смешно, но я смеялся. Ты простишь меня за это?

И, увидев, что мама простила, я стал просить прощения за все. Я вспоминал, как смеялся над бабушкиными выражениями, как передразнивал моменты из ссор, плакал и просил извинить меня. Я не думал, что очень виноват, понимал, что мама не сердится и даже не понимает, о чем речь, но плакал и просил прощения, потому что только так можно было пустить на место жизни счастье. И оно вошло. Невидимые руки обняли маму раз и навсегда, и я понял, что жизнь у бабушки стала прошлым. Но вдруг теперь, когда счастье стало жизнью, все кончится? Вдруг я не поправлюсь?

Уличный фонарь отбрасывал через окно на потолок бело-голубой отсвет, на котором черным крестом оттенялась оконная рама. Крест! Кладбище!

— Мама! — испуганно прижался я. — Пообещай мне одну вещь. Пообещай, что, если я вдруг умру, ты похоронишь меня дома за плинтусом.

— Что?

— Похорони меня за плинтусом в своей комнате. Я хочу всегда тебя видеть. Я боюсь кладбища! Ты обещаешь?

Но мама не отвечала и только, прижимая меня к себе, плакала. За окном шел снег.

Снег падал на кресты старого кладбища. Могильщики привычно валили лопатами землю, и было удивительно, как быстро зарастает казавшаяся такой глубокой яма. Плакала мама, плакал дедушка, испуганно жался к маме я — хоронили бабушку.

**СЕКС
СМЕРТЬ
ЛЮБОВЬ
БОГ**
в романе
Павла Санаева

«ХРОНИКИ РАЗДОЛБАЯ»

ХРОНИКИ РАЗДОЛБАЯ

15 августа 1988 года Раздолбай проснулся около часа дня. Солнце за окном было жаркое и белое. Над асфальтом Ленинградского проспекта висел синеватый от грузовой гари воздух. Люди давно ходили по улице, потели и устало вздыхали. А Раздолбай только открыл глаза. От долгого, тяжелого, как ватное одеяло, сна в голове у него образовалось что-то увесистое. Раздолбай полежал, понял, что спать больше не получается, и поплелся на кухню приводить себя в чувство крепким кофе.

Завтра Раздолбаю исполнялось девятнадцать. Родители, уехавшие неделю назад во Францию, заранее сделали ему ко дню рождения подарок и бродили теперь в золотистом парижском тумане, не подозревая, что Раздолбай живет привычными мыслями и чувствами последние часы, а подарок, прижатый к столу банкой икры для «празднества», откроет в его жизни новые, полные неведомого раньше содержания страницы. Подарком родителей был

273

большой белый конверт, в котором лежали путевка в юрмальский дом отдыха «Пумпури», сто рублей денег и железнодорожный билет Москва — Рига на пятнадцатое число.

Хотя Раздолбаю было без одного дня девятнадцать, выглядел он младше и был из тех субтильных юношей, в которых есть что-то птичье. Эту птичью стать Раздолбай переживал очень болезненно и панически боялся раздеваться на людях. На пляж он не ходил, в баню и бассейн тоже. В военкомат ему прийти пришлось. Там его раздели и выставили в коридор, полный мускулистых призывников. От ужаса у Раздолбая пропал голос, и он не смог потом браво доложить «призывник такой-то для прохождения медицинского освидетельствования прибыл». Медкомиссии это не понравилось. Военврач ткнул Раздолбая меж костлявых ребер заскорузлым пальцем и пообещал отправить в Афганистан. В Афганистан, как, впрочем, и в армию, Раздолбая не отправили из-за бронхиальной астмы и хронического заболевания почек.

Жил Раздолбай с мамой и отчимом в трехкомнатной квартире в районе метро «Динамо». Отца своего он не помнил. По воспоминаниям матери, отец был человеком веселого нрава, но когда обстоятельства мешали ему веселиться, впадал в депрессию и угрюмо молчал по несколько дней кряду. Рождение Раздолбая стало

обстоятельством наиболее мешающим весе-
лью.

— Вот же тоска, — сказал как-то отец, глядя
на копошащегося в манежике в розовых колготках Раздолбая и сидящую рядом с книжкой
мать. — Вот тоска беспросветная... Удавиться,
что ли?

— Ну, удавись, — отмахнулась мать, не отрываясь от книжки.

Отец вышел, снял на кухне бельевую верев-
ку и, привязав ее к верхней петле входной двери, сноровисто смастерил петлю.

— Галь! — позвал он. — Поди сюда!

— Зачем?

— Ну поди, покажу чего.

Мать подошла. Отец накинул петлю на шею
и, сказав: «Вот тебе...», повалился плашмя.
Веревка лопнула, как перетянутая струна, при-
душенный отец врезался подбородком в ящик
для обуви и сломал себе челюсть. В больнице
ему связали зубы проволокой, мать каждый
день носила туда бульоны и протертые супы, а
когда челюсть срослась, подала на развод.
Отец не возражал и с тех пор не появлялся.
Алименты он, впрочем, присылал исправно, и,
сложив последние три перевода, мать даже купила Раздолбаю на восемнадцатилетие фото-
аппарат «Зенит».

До пяти лет Раздолбай жил с мамой вдвоем.
Мама уходила на работу и оставляла его с ня-

нечкой — безответной старушкой, которую Раздолбай бил по спине деревянной лопаткой и обстреливал из большой пластмассовой пушки разноцветными ядрами. Неприязнь была вызвана путаницей в понимании причины и следствия — пятилетний Раздолбай думал, что мама уходит, потому что с ним должна побыть эта скучная бабка. Недоразумение сгубило бы старушку и отправило ее в могилу раньше срока, но мама объяснила, в чем дело, а в заключение сказала:

— Если я не буду ходить на работу, что ты будешь жрать?

Слова «жрать» и «работа» образовали, было, в сознании Раздолбая неразрывную связь, но тут появился дядя Володя. Он женился на маме, перевез ее с Раздолбаем в свою трехкомнатную квартиру на Ленинградском проспекте, а зарабатывал так много, что маме можно было ничего не делать и при этом жрать сколько угодно. Работать мама, однако, не бросила. Она была музыкальным педагогом, любила свое дело и на предложение сидеть дома с ребенком ответила отказом. На работу она, правда, ездила теперь на такси. Расходы на транспорт в полтора раза превышали ее зарплату, и дядя Володя со смехом говорил, что она единственный человек, который работает и еще за это приплачивает.

Мамина однокомнатная квартира, в которой Раздолбай провел первые пять лет своей жизни, осталась свободной. Дядя Володя предложил сменяться на четырехкомнатную, но мама сказала, что пусть, когда Раздолбай женится, ему будет где жить, и квартиру стали время от времени сдавать. В десятом классе Раздолбай стащил от нее ключи и распил там с приятелями забытую последним постояльцем бутылку перуанской водки «Инка Плиска».

Несмотря на очевидный достаток семьи, избалован Раздолбай не был. У него было все, но не больше, чем у других, и не лучше. Достойный магнитофон появился у него только в девятом классе, хотя уже в седьмом многие его одноклассники увлекались записями. Главным меломаном класса был тогда усатый мальчик со странной фамилией Маряга. Маряга слушал неведомых Раздолбаю монстров рока BLACK SABBATH, SCORPIONS и JUDAS PRIEST на стерео аппаратуре с большими черными колонками, и Раздолбай, в распоряжении которого был только хрипевший на большой громкости диктофон SONY, две кассеты «Битлов» и кассета Челентано, всегда испытывал к нему почтительную зависть непосвященного. Послушать свои кассеты Маряга никогда не давал.

— Пожуешь, — коротко объяснял он отказ.

На одном из уроков Раздолбай оказался с Марягой за одной партой и, выводя на обложке учебника аккуратные готические буквы

277

AC/DC, усатый фэн тяжелого рока невзначай спросил:

— Ну как, тебе родители аппаратуру не купили еще?

— Нет, — отчего-то виновато ответил Раздолбай.

— Так ты потребуй!

Виноватый Раздолбай развел руками и издал смешок, который однозначно переводился как: «У них потребуешь...»

Требовать чего-либо у родителей Раздолбай никогда не решался, а если приходилось просить, всегда чувствовал, как потеют руки и сжимается от почтительности в голосе горло. Решай судьбу раздолбайских желаний податливая мама, редкие просьбы не сопровождались бы таким волнением, но главным в доме был дядя Володя, а перед ним Раздолбай терялся и робел, как пигмей перед великаном, хотя был выше отчима на целую голову.

Маленький рост только подчеркивал скрытую в дяде Володе мощь характера, и даже физическая сила казалась проявлением этой мощи, прорывавшейся наружу через кожу. Еще ребенком Раздолбай дал своему отчиму сжать кистевой эспандер, который сам еле сжимал до середины, и в руке дяди Володи пластмассовые части так звонко стукались друг об друга, что Раздолбай поспешил забрать игрушку обратно, не напрасно испугавшись за ее сохранность.

Первое время Раздолбай относился к дяде Володе как к постороннему, и ему даже не приходило в голову, что они с мамой живут в его доме. Но как-то раз мама и дядя Володя поссорились, и Раздолбай крикнул из своей комнаты:

— Мам, что бы ни было, я на твоей стороне!

Он хотел поддержать маму, показать, что считает чужого дядю заведомо неправым, и был уверен, что дядя, сознавая свою чужеродность, полностью с этим согласится. У дяди оказалось другое мнение. В тот же вечер он провел с Раздолбаем воспитательную беседу, в которой объяснил, что безответственно брать чью-либо сторону, не вникнув в суть конфликта; что конфликта к тому же нет, а есть проблемы, и решать их надо сообща, а не делиться на правых и виноватых, потому что теперь они — одна семья.

Беседа маленького Раздолбая не убедила. В его представлении дядя Володя не понимал, что они с мамой заодно и главные, а он один и вообще ни при чем. Чтобы вразумить его, Раздолбай выбрал момент, когда отчим болел, и положил спящему под подушку будильник. Он ожидал, что дядя Володя покорно засмеется, признавая августейшее право шутить над собой подобным образом, но крепко получил по шее и побежал искать заступничества у мамы. От мамы Раздолбай получил едва ли не сильнее, и так стало ясно, что дядя Володя не посторонний, и с этим надо считаться.

Со временем дядя Володя заслужил уважение на грани трепета. Раздолбай даже не мог называть его на «ты», хотя отчим просил его об этом, и, стесняясь отчуждающего «вы», вовсе избегал прямых обращений. Приглашая дядю Володю к столу, Раздолбай не мучился, выбирая между «иди есть» или «идите», а говорил: «Кушать подано!» Столь трепетное уважение отчим заслужил воспитательными беседами, которые случались всякий раз, когда Раздолбай, по его мнению, поступало некрасиво. Дядя Володя умел в двух словах показать дурную суть любого поступка и делал это настолько спокойно, уважительно и с юмором, что как бы ни хотелось Раздолбаю оправдаться, в конце концов он всегда признавал свою вину и сам же над собой смеялся.

Больше всего дядя Володя стремился искоренить в Раздолбае эгоизм и собственно раздолбайство. Эгоизмом отчим считал хроническое неумение думать о других.

— Было шесть сосисок. Почему тебе четыре, маме две, а мне ...? — спрашивал он вечером, не обнаружив в холодильнике ужина, на который рассчитывал.

— Я думал, директоров на работе кормят, — хихикал Раздолбай, который понадеялся, что дядя Володя поест у себя в НИИ, и умял большую часть сосисок с вопиющей наглостью.

— А ты бы еще дверь на ночь запер, может, меня там и спать укладывают, — говорил дядя Володя, и пристыженный Раздолбай клялся себе, что отныне всегда будет следить, чтобы еды в холодильнике оставалось ровно на троих. Клятвы, однако, не мешали ему съесть на следующий день банку огурцов, припасенную мамой для праздничного салата, или растащить блок дефицитной жвачки, купленной отчимом для борьбы с голубым сигаретным змием.

Раздолбайство приемного сына беспокоило дядю Володю больше, чем его эгоизм. До восьмого класса Раздолбай прилично учился, вовремя приходил с улицы, а в свободное время кропотливо клеил модели самолетов или печатал в ванной фотографии, заявляя, что будет поступать во ВГИК на оператора. К десятому классу он прочно утвердился на тройках, понятия не имел, что делать после школы, а вместо фотографий и самолетов увлекался тяжелым роком и гулянием до двенадцати ночи с Марягой, который, с долгожданным появлением у Раздолбая двухкассетника SHARP, стал его лучшим приятелем. Отчим забил тревогу. Чтобы подтянуть учебу, мама наняла репетитора, но тот оказался мягким человеком и быстро превратился в приятеля за пять рублей в час, который два раза в неделю болтал с Раздолбаем о жизни и делал за него уроки. Вскоре Раздолбай с трудом решал простейшие задачи, а сознание его больше и больше заволакивалось туманом бездеятельности.

Раздолбай был не глуп, но совершенно безволен, и этим объяснялась произошедшая с ним перемена. До восьмого класса учеба давалась относительно легко и способностей хватало, чтобы получать четверки, почти не занимаясь. Как только задачи усложнились и потребовалось напрягаться, у Раздолбая словно сгорели предохранители. Везде, где требовалось усилие, умирало желание. Раздолбай хотел бы наверстать учебу, но для этого нужно было сосредоточенно работать, и проще было перестать хотеть, перебиваясь с помощью репетитора с тройки на тройку.

Собственное безволие угнетало Раздолбая, и спасение от тяжелых мыслей он искал на улице. Там забывалась суровая необходимость преодолевать препятствия, можно было весело сидеть с приятелями на лавке, курить и ждать, не пройдет ли мимо одноклассница по кличке Цыпленок, к которой Раздолбай пылал безответной страстью. К двенадцати ночи Раздолбай заедал запах курева зубной пастой, отплевывался белой, щиплющей язык, жижей и шел домой выслушивать очередную воспитательную беседу отчима.

Дядя Володя переживал за приемного сына как за любимую команду, проигрывающую 2:1 в полуфинале. Он говорил, что Раздолбай находится в стадии продления детства и теряет стартовые позиции; что нельзя стать кем-то, никем не пытаясь стать; что поздние гулянки имеют свое продолжение и не дай бог Раздолбай попробует спиртное.

— Я позволю себе ударить тебя только в одном случае, если ты выпьешь, — заканчивал дядя Володя и задумчиво добавлял: — Может быть, я даже сломаю тебе руку.

Несмотря на угрозы отчима, спиртное Раздолбай попробовал и по достоинству оценил. Выпитая на маминой квартире «Инка Плиска» не стала откровением — глиняная бутыль в виде идола вмещала всего триста граммов напитка, а делить эти граммы пришлось на пятерых. Но в конце десятого класса, когда родители уехали на три дня в Ленинград, Раздолбай, неожиданно для себя, откликнулся на предложение Маряги распить у него дома бутылку медицинского спирта. На закуску купили триста граммов «Любительской» колбасы и две пачки пельменей. Спирт перелили в большую бутыль из-под столичной водки, разбавили водой и долили терпким самодельным вином из черноплодки. Пельмени дымились в большой миске, нарезанная кубиками колбаса громоздилась на блюдце, а потеплевший спирт ждал первого тоста в чайных чашках с лиловыми розочками. Брать рюмки Маряга запретил по конспиративным соображениям.

— Рюмки пыльные, «черепа» с дачи в пять приедут, увидят — чистые, сразу поймут, что пили.

В пьянке участвовало человек шесть, но Раздолбай был единственным, кого не ждали дома и кого не сдерживал страх неудачно заесть и быть уличенным. Он резво ушел в отрыв и вскоре лежал в ванной на приготовленной к стирке куче белья, вольно цитируя дневник блокадницы Тани Савичевой.

— Три часа дня... Папа умер. Четыре... Умер дядя Леня. Дядя Петя... умер вечером... Мама... Мама осталась жива! — с этим выкриком Раздолбай попытался встать, но тут же повалился обратно, увлекая за собой таз с замоченными лифчиками.

— Пятый час, уводите его скорее! — суетился Маряга.

— Куда вести? Он идти не может!

— Хоть на лестницу...

На лестнице овеянный сквозняком Раздолбай осознал свою беспомощность и жалобно попросил:

— Чуваки... Вы только не бросайте меня...

Шел восемьдесят шестой год, и милиция получила указание задерживать пьяных. В отделение можно было угодить за один только запах — что говорить про Раздолбая, который не стоял на ногах и ничего перед собой не видел. Двое приятелей нацепили на рукав повязки дежурных по столовой, и самозванные «Дружинники» потащили безнадежно поникшего Раздолбая окольными путями к дому.

— Вы меня не туда ведете, идиоты! — отчаянно кричал Раздолбай, не узнавая дороги и чувствуя, что полностью находится в чужой власти. — Вы все пьяные, я один трезвый! Вы меня сейчас заведете на окраину Москвы, нам там всем дадут ...! Трубы заводские видите? Там окраина, пацаны с кольями... Не надо туда!

Но друзья уверенно вели Раздолбая к «заводским» трубам, прекрасно зная, что это районная ТЭЦ, за которой начинается узкая безлюдная улица, ведущая к раздолбайскому дому.

— Ну, хорошо... — заговорил Раздолбай мстительным тоном восставшего. — Сейчас я возьму тачку! И посмотрим, кто быстрее у меня дома будет. Вон тачка!

Раздолбай рванулся навстречу медленно ехавшим «Жигулям», но приятели вовремя удержали его и спрятали в темной арке. «Жигули» были желтыми с синей полосой на дверях и мигалкой на крыше.

В арке Раздолбай потерял правый ботинок, окончательно уверился в том, что пьяные друзья ведут его неправильно, и, расплакавшись от жалости к себе, заговорил с уменьшительными суффиксами:

— Холодно... Где, ..., ботиночек? Не могу пешком по снегу ходить... Я хочу в свой домик! Мой домик теплый! Где мой домик?

— Ну, вот мост уже, — сказал «дружинник», тащивший Раздолбая под правую руку. — Сейчас дойдем, там будет «домик».

— Мост?! — гневно крикнул заведомо несогласный Раздолбай, простирая руку в пространство, в котором не видел ничего, кроме крутящегося хаоса. — Если это мост, то я .....!

Фраза стала крылатой. Произнося ее, Раздолбай указывал именно на мост, тянувшийся впереди над железнодорожными путями Савеловского вокзала...

СОДЕРЖАНИЕ

Литературно-художественное издание

16+

Павел Санаев

ПОХОРОНИТЕ МЕНЯ ЗА ПЛИНТУСОМ

Повесть

Издано в авторской редакции

Редакционно-издательская группа «Жанры»

Зав. группой *М.С. Сергеева*
Руководитель направления *Л. Захарова*
Технический редактор *Т. Тимошина*
Корректор *И. Мокина*
Компьютерная верстка *И. Михайловой*

Общероссийский классификатор продукции
ОК-005-93, том 2; 953000 — книги, брошюры

Подписано в печать 18.03.2014.
Формат 84 x 108/32. Усл. печ. л. 15,12.
Обл. Доп. тираж 2000 экз. Заказ № 2216.
Переплет. Доп. тираж 5000 экз. Заказ № 2217.

ООО «Издательство АСТ»
129085, г. Москва, Звёздный б-р,
д. 21, стр. 3, ком. 5

Отпечатано с готовых файлов заказчика
в ОАО «Первая Образцовая типография»,
филиал «УЛЬЯНОВСКИЙ ДОМ ПЕЧАТИ»
432980, г. Ульяновск, ул. Гончарова, 14